【参議院議員として】

2期連続で大量票によって託された責任に応えるために、日々、心身を捧げ尽くす。公務の合間を縫って、教育の現場で学生たちとも触れあう。

▲写真①　戦艦三笠の記念艦を訪ね、三笠保存会理事長の元海上自衛官と握手。東大の学生を連れてフィールドワークを行う準備

▲写真②　参院自民党の当選同期全員が一年生の修行として国対委員を務めた。早朝、いつも一番乗りだったから、道場みたいな名札がひとり、出席を意味する黒い表になっている

▲写真③　参議院経済産業委員会で議員として初質問

▲写真④　自民党の部会で発言。これはEEZの正当な権利を護る立法への部会。手前は官僚たち。票にならない安保の関連は議員の出席が少ないからこそ、積極的に早朝から出席し、発言する

▲写真⑤　議員になったあとも、近畿大、東大で教鞭を執る。東大教養学部の「知力の再構築」ゼミにて講義中

◀写真⑥　今も残る選挙カー事故の首の痛みを克服するために、自宅玄関にダンベルを置き、鍛錬

▲写真⑦　かつてない新しい議員集団の護る会（日本の尊厳と国益を護る会）の創建1周年会合に、2度目の辞任をしたばかりの安倍元総理が参加された。護る会は、組織としての勧誘をしないまま創建4年で89人（2023年9月現在）の自由民主党衆参両議員を擁する

▲写真⑧　自主自費で世界の原発と防護当局を回り、ウクライナ戦争で現実となった原発への軍事攻撃をいかに防ぐかを議論。その途上にて、ふと、思索する

▲写真⑨　世界を回る途中、ウイーンでIAEA（国際原子力機関）のグロッシー事務局長と踏み込んで議論

Rafael MarianoGrossi
@rafaelmgrossi
It was a pleasure to welcome Senator @aoyamashigeharu, who has extensive knowledge & experience in the area of nuclear safety & security. Japan is a strong supporter of @iaeaorg's activities, incl. our mission to #Ukraine. I look forward to our further enhanced cooperation!
ツイートを翻訳
PMissionJapan Vienna
午後1:54 · 2023年1月13日 · 1,306 件の表示

◀写真⑩　グロッシーさんはツイッターで議論の意義を発信した

▲写真⑪　フランスの国家憲兵隊の狙撃手と遠慮なく議論

◀写真⑫　アメリカの原発構内で元海兵隊の防護責任者と議論。隣は、連携する独研のヘイワース美奈研究員

▲写真⑬　硫黄島で、米軍の数少ない生き残りと日本の英霊を偲ぶ

▲写真⑭⑮　自由民主党の党員獲得数2年連続第1位を果たし、党員と総会を開いた。戦う決意を込めて、珍しく赤いいでたち

▲写真⑯　総会後に、三浦麻未公設第一秘書の笑顔が弾ける。隣は学生インターンの増野優斗くん、19歳。議員会館の青山繁晴事務所はみなが居ついてしまう。護る会と似ている

▲写真⑰　護る会は、安倍総理に、天皇陛下のご存在を父系一系でお護りするための具体案を提案、それは岸田政権での有識者会議報告書にほぼそのまま盛り込まれた

▲写真⑱　ハワイ真珠湾の米軍インド太平洋司令部でアキリーノ司令官と胸の奥を開き、通訳を挟まずに議論

▲写真⑲　護る会の分科会で、代表として冒頭に所感を述べる

▲写真⑳　落選中の長尾敬・元護る会副代表の再起を支援する

◀写真㉑　護る会の分科会に齋藤健法務大臣(当時)が参加している

▲写真㉒　護る会の分科会に、高市早苗経済安保大臣が参加。護る会には現職閣僚が3人居て元閣僚を合わせて閣僚級が11人居た。その代表がわずか当選2回、そこもこれまでの自由民主党に無かった

【立候補者として】

安倍総理から直接電話を受け、苦しんだ末に、この世の中で最も嫌っていた「選挙」への初出馬（2016年6月22日公示の参院選）。行く先々でいただく予想外の応援。そして開票の日……

▲写真㉓　いかなる団体、組織の支援も辞退して、ただひとりひとりに話しかける

▲写真㉔　選挙戦初日に、大阪で選挙カーがまさかの事故を起こす。助手席で演説中だった青山は、のちに烈しい首の痛みに苦しみ抜く

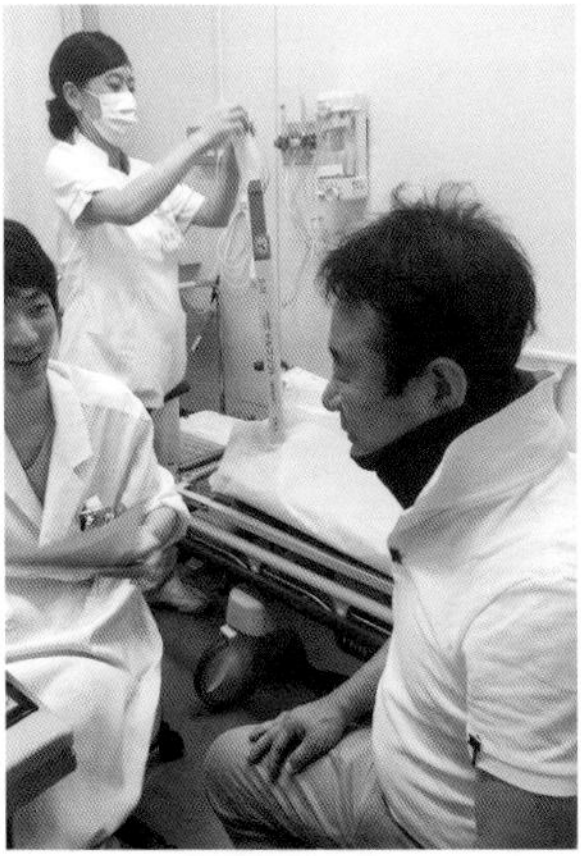

◀写真㉕　初対面の先生が「普通は入院。青山さんなら大丈夫」と励ましてくれる。選挙カーの運転手さんのために健康保険は使わず自己負担の現金払い。このコルセットのおかげで選挙戦を最後まで続けられたのかも

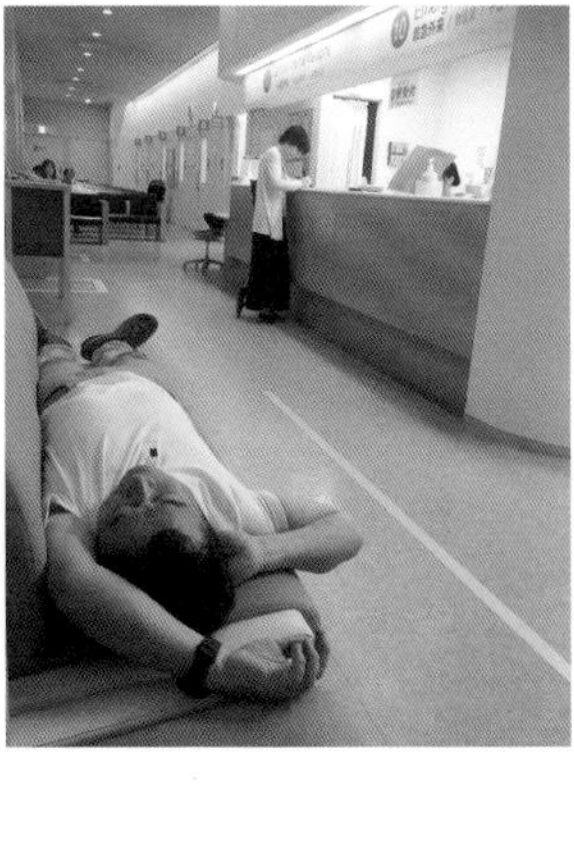

▶写真㉖　首の痛みでついに倒れ…いや倒れてません。やっと寄ることのできた病院(上の診察風景)で診察を待つあいだ、せめて首を休める。痛い、痛い

▲写真㉗　握手を求めるみんなの真剣さに感激。組織・団体の支援は無し！

▲写真㉘　東京新宿でも人出は想像を超えた多さ。もちろん動員なし

▲写真㉙　尼崎駅前でゲリラ演説。このあと酔った男性がこの噴水に落ち、演説を当然やめて噴水に入って助け、水に浸かった靴とズボンで遊説を続ける。炎暑のおかげですぐ乾きました

▲写真㉚　青山繁晴の造語「脱私即的」の垂れ幕を作って来てくれる人も少なくない

▲写真㉛　長時間の、それも自分の名前を言わない、講演みたいな演説を終了。ずっと聴いてくれたみなさんに自然に頭が深々と下がる。自分の話への関心より、祖国の命運への関心に心から感謝している

▲写真㉜　なぜか女性も沢山、集まってくださる

▲写真㉝　水色のシャツの、ちょっとお腹が豊かな男性は高校の同級生。大阪難波でみんなと一緒に真剣に聴いてくれる

▲写真㉞　笑って、泣いて、また笑って聴いてくださる。

▲写真㉟　最後の演説は大阪難波で。熱狂と言うほかない盛りあがり

▲写真㊱　選挙カーに一緒に乗ってくれた学生諸君らと。右横は、清水麻未秘書。珍しいメガネ姿。多くの遊説は、この麻未秘書とふたりだけだった。麻未秘書はその後、公設第一秘書となり結婚して三浦姓に。今は「青山繁晴チャンネル☆ぼくらの国会」のMCでもある

▲写真㊲　神戸で拉致被害者·有本恵子さんの父、明弘さんと（右）。自ら飛び込みで聴衆の輪に加わって下さった

▲写真㊳　応援は安倍総理も含めて一切、お断りしていたが、エコノミストの須田慎一郎さんが飛び込みで現れる。応援スピーチなどは無し。嬉しい握手だけ。首のコルセットを一瞬だけ忘れる

▲写真㊴　自著にサインを求められることが多い。自分のペンを使うと公選法に抵触するとあえて厳密に考え、必ずペンを借りる。総務省に何度も確認してから、そのようにしました。大阪の街角で求められ、感謝しつつペンを借りてサイン。首のコルセットが暑い。そして激烈に痛む

▲写真㊵　2016年7月10日夜、投票〆切と同時にNHKをはじめTV各社の報道で当確。その直後の選挙事務所。花も祝電も辞退したから何も無い。ふつうなら落選風景に見える

▲写真㊶　当選会見が始まる。本人は笑顔だが、花も何も無く、これも落選会見みたい。あるのは日章旗、それだけ。自らのために選挙に出たのではないからバンザイはおかしい。拉致被害者を取り返し、自前資源を実用化し…果たすべきを果たして初めて万歳だ

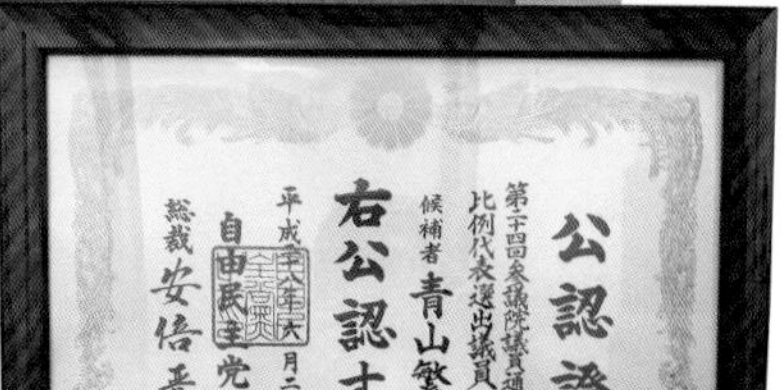

▲写真㊷　党公認証の日付は初の参院選の公示のわずか二日前。著名ジャーナリストが全く何の取材も無いまま「青山が直前に出馬を決断したというのは嘘」と本に書いたのこそ嘘である証拠。日本のジャーナリズムではこんな人が大手を振る

▲写真㊸　予定通り1期で辞めることを切望したが、護る会の存続と、自前資源の開発の継続のために2期目にやむを得ず出馬。大阪の心斎橋の練り歩きに驚くほどの人が集まってくださった

▲写真㊹　みんなの眼の輝きは、2期目の選挙でも変わらない

【民間の専門家時代】

作家そして独立総合研究所の社長・兼・首席研究員を務めていた頃から、不肖ながら全国と世界を飛び回り、国家の安全保障をめぐる調査と研究に一身を捧げていた。

▲写真㊺　航空自衛隊 F15戦闘機の後席で、バイザーを上げてにっこり。8.2Gという極限の重力加速度に耐えた喜び。すでにF2戦闘機で8.0Gを記録していたから、前席の機長が信頼してくれての達成

◀写真㊻　いち民間人ながら、許されて敬礼する

▶写真㊼　那覇基地に降り立ち、まず支援してくれた地上のクルーと堅い握手。後ろから歩み寄るのは隊長

【命のひとこま】

▲写真㊽　富士スピードウェイにて

▲写真㊾　サーキットに戻る決心をして、A級ライセンスを取り直したとき（ツインリンクもてぎにて）

写真キャプション／青山繁晴
撮影／青山繁晴、航空自衛隊、山田晃、三浦麻未、有権者の方々、ツインリンクもてぎ、出口太

戦
TELL-ALL BOOK

青山繁晴

ワニブックス
|PLUS|新書

わたしが職業としての書き手なりに持つ国語への信念、そのひとつは、漢字、カタカナ、ひらがな、ローマ字を自在に使うことです。

同じ言葉がすぐ近くに現れるときでも、それは変わりません。この一作においても、校正者にそれを踏まえていただくようお願いを致し、諒解《りょうかい》されました。したがって通常の校正基準とは異なる仕上がりとなっています。日本語の可能性をさらに豊かにしていくために、読者におかれてもご諒解をいただくよう伏してお願いします。

青山繁晴　拝

静かなる怒りの書

おのれ自身でも、信じられなかったのです。

炎暑の夏の夜明けが来るまえ、令和五年、西暦二〇二三年八月二十九日火曜の午前四時ごろ、突然に英文のタイトルが降りてきました。

この新書の書名です。

わたしは母国語を深く愛し抜く日本の作家です。同時に、国語教育や社会の中の日本語の現状とこれからにも重い責任を持つ、現職の国会議員でもあります。

それが、英語の書名を考える?

びっくりしました。

びっくりしましたが、その動機は、おのれの体内で、はっきりしていました。

怒りです。

誰か個人を責める怒りではありませぬ。それはしません。わたしたち日本人が、たった一度の敗戦でおよそ八十年ものあいだ背負わされたままでいるもの、それへの憤激です。

その「もの」とは一体、何か。

順を追ってじっくり話したいと考えています。よろしければ、聴いていただけますか？


まず、わたしの場合、母国語ではない英語が、日本国に生きる日常のなかにどんな風に存在しているか。

わたしは前述のように、作家と国会議員を兼ねています。

ささやかな信念として、あるいは世界の議員の例外として、政治献金は一円も受け取りません。政治資金集めパーティも開きません。いかなる団体の支援も受けません。後援会もなく、後援会長もいません。

動画を、議員会館の青山繁晴事務所で収録し始めて三年と二か月で、みなさんの視聴は二億四千万回を超えました（西暦二〇二三年九月初め現在）。スポンサー料を受け取れば驚くほどの高額になるでしょう。しかし、受け取りません。

だから、たとえば自主自費で行く海外出張の費用は、原稿を書くことで作ります。そういう兼職です。

民間の専門家時代から取り組んでいる分野は五つあります。外交、安全保障、国家危機管理、資源エネルギーそして情報です。このすべてで英語を自然に使います。英語は、イギリスとアメリカの言葉と言うよりは世界の共通語だからです。わたしは国際語と呼んでいます。共通語と言ってもいいですね。

英語は敬語も少なく、フランス語やスペイン語などにある名詞の性別もなく、シンプルな言葉であることも、共通語になったことに影響しているでしょう。

議員会館の青山繁晴事務所へは、たとえば北欧諸国の国会議員もやって来ます。北欧は女性議員が多いですね。

フィンランド、スウェーデン、ノルウェー、そしてデンマークの北欧四か国はすべて、日本語と同じくそれぞれの母国語を持っています。しかし例をあげれば、スウェーデンの議員が「私はスウェーデン語しか話さないので通訳を用意してください」と仰ることは決してありません。

国際共通語としての英語で議論し、笑いあい、別れを惜しみます。

日本の国会議員が海外に出ると、母国語しか話さないので外務省が通訳を用意するというのは、ほんとうは世界の例外中の例外です。

会話や議論だけではなく、文書や書物、電話、Eメール、そのすべてが国際社会で仕事をするためには、いや、まるで違う環境で育った同じ人間同士が通じ合うためには、それぞれの母国語への誇りを秘めつつ、英語ですね。

しかし、だからといってこの新書のタイトルを英文にしようと考えたのでは、ないのです。

この本は、かつて世に問うた『ぼくらの哲学』という単行本を新書化しています。他の出版社から刊行されたのを、別の出版社の編集者が読み「新書なら読者は手に取りやすい。新書にして、この本に書いてあることをもっと世に広めるべきだ」とわたしに提案してこられました。

光栄に思いました。

しかし提案を受けるかどうか、考え込んだのです。

わたしの場合、おのれがすでに出した単行本を新書や文庫にするのは、新作を書くよりも深いエネルギーを要するからです。

それが出版界では常識外のことだとは、知っています。

おそらく……少なくない作家は、新書にする作業を基本的に出版社に任せると思います。それなら作家は、新書化に同意するだけで済みます。

これは全く正当なことです。

原稿もいったんプロフェッショナルとして完成させたから単行本になっているのであって、そのままで大丈夫ですね。

すると、出版社が印刷を新書用に組み替え、新しい表紙に付け替えるだけです。

その表紙も、ふつうは新書ならその出版社の新書シリーズですべて共通です。新たに考える必要はありません。タイトルもそのままでいいでしょう。

もしも作家が原稿に手を入れる場合でも、いったん世に出した単行本の一字一句、一行ごとにもう一度、精緻に見直して書き直すことはしないでしょう。

しかし、わたしはそれを致します。

そしてタイトル付けも表紙デザインもすべて自分でやり直します。単行本の時もそれをやっています。本の厚みや手触り、文字のフォント（大きさや字体）、紙の色合いまで踏み込んで考え抜きます。

このワニブックス【PLUS】新書で言えば、版元が例外的に、共通の表紙では無く、独特の表紙にすることを認めてくれました。感謝しています。

電子書籍の時代だからこそ、本という存在の丸々全部に関わるのです。

電子書籍も大切です。わたしは海外に出ると、できるだけ現地の書店も回ります。ワシントンDCでホワイトハウスのNSC（国家安全保障会議）にて議論した帰りにふと入った書店に、源氏物語を英訳したふっとい一冊があって喜んで買い求めました。しかし、つまりは英語です。日本語の本はありません。パリの日本大使館の近くには、個性的な良い書店が幾つかあります。ただ、日本語の本はありません。ブエノスアイレスには元はオペラ座だった壮大にして晴れやかな書店があります。日本語の本があれば似合うけど、ありません。

これらの例をなぜ出したか。みな日本人が活躍されている街だからです。それでも、残念ながら日本の本を見たことがありません。

皆無というわけではないと思います。わたしが目にしていないだけでしょう。しかし、世界各国の書店をこれだけ回って、まだ一冊もありません。

海外の同胞にとっては、電子書籍のおかげで日本の本を読むことができるのです。他にさまざま事情がある人たちも、電子書籍の恩恵があると思います。

現にわたしは、「ぼくらの祖国」という日本で二十二刷に達した本を英訳し、Meet the Nation : Japan's First Reality after Loss という題で電子書籍にしています。

そのうえで、こんな新しい事実があります。

電子デバイスと一緒に育っている子供たちが実は今、日本でいちばん本を読んでいるのです。小学生以下が一か月に読む本が高校生の十倍以上というデータもあります。

なぜでしょう。

良心的な評論家で、このデータを詳しく分析されている方もいらっしゃいます。それはその分析を見ていただくとして、わたしは、とにかく嬉しいです。

いま本を読まない大人がいるとして、そういうひとでも子供の頃には本と一緒に育ちましたよね。わたし自身は、学校が定める勉強は全くせずに本ばかり読む困った子供で、中学卒業までにアンドレ・ジイドやトーマス・マン、ヒョードル・ドストエフスキーといった世界の文学から、宇宙物理学の逞《たくま》しい想像力が生み出した物質論まで、分かりもしないのにどんどん読むだけは読み尽くしてしまい、高校時代は童話に逆戻りしていたりしました。本棚も大半、童話に入れ替えたのです。

わたしの勉強部屋に遊びに来た高校の同級生が「青山の本棚は童話しか無いやんか。作文と読書の青山じゃないのか」と驚いていたことを覚えています。今も友だちですが、きっと『青山はほんまは、童話しか読んでへん』と思っていることでしょう。わはは。

話を戻すと、子供からいわば逆襲が始まって、本という、人間が人間である理由のひとつが見直されていくのならもう、奮闘するしかないですよね。

本を、中身の原稿だけではなく、手に取った瞬間の手触りから、読み終えて、いい本なら世界が違って見えて、裏表紙をしみじみ見てしまうという「全体芸術」にしたいという長年の願いと祈りが、ようやく日本の社会で共有されるような、わくわくです。

すると、この「ぼくらの哲学」の新書化も、いつもと同じく徹底的な仕事をみずからの手でやるほかありませぬ。

もしもやるのなら、提案を受けるのなら、です。

早朝から夜までは、公務があります。作家に戻るのは、夜が深まり、そしてその夜が明ける直前までです。

夜が明ける頃には、時差のあるアメリカの軍部や政府当局者との議論や交渉をおこなうことがあり、そしてすぐに、自由民主党本部で早朝から開く「部会」への準備を始めます。

そして、その深更から夜明け前の貴重な時間はいま、安倍晋三元内閣総理大臣が暗殺された、その先の日本を構想するノンフィクションの新作に苦吟する時間です。

同時に、ノンフィクションの新作に取り組んでいると小説、物語文学の新しい着想が夜の静寂《しじま》にぷかぷか浮かんできます。

浮かび出すと、ちょっと書いてみないでは居られません。

これで新書化って、できるのか。

だから編集者の提案を光栄に思いつつ、受けるかどうか悩みました。しかし実は、提案って、ほとんど断った記憶が無いのですね。

頼りにされると断れない、間違いなく、わたしの性格の弱点のひとつです。

ほかにも重大な欠点があります。シドニー対岸の海辺の動物園で、記者時代の同期だった荻田くん、共同通信シドニー支局員（当時）と一緒にナマケモノを眺めました。木からぶら下がったまま動かない彼か彼女を見ていると、あぁ、いいなぁと深く共感したのです。それぐらい怠け者です。

これも実害の大きい欠点ですが、提案を断れないのはさらに困りものです。

例外が、選挙に出ることでした。

政治記者の時から「選挙に出ろ」と言われるたび、言下に断っていました。おのれを売り込むのが嫌だからです。

最後にそれも引き受けてしまって、そのために苦しみ抜いて、まるでドラキュラ伯爵のように昼は動けない、書けない。夜だけ作家です。

かつて日曜作家という言葉もありました。なにかを兼業していても週末には書ける作家ですね。

わたしは地元を作らず、選挙が公示されていないときには選挙活動もしないのが信念のひとつなので週末は暇かというと、自由民主党本部の要請で憲法九条の改正を各地で説いて回ったりします。日曜作家にすらなれません。

夜だけ作家で居るのも、国会議員で居るのも、すべておのれが引き受けてのことですから自分で解決するしか無い。だから『ぼくらの哲学の新書化も引き受けよう』と、よく分からない理屈のまま提案をお受けしてしまいました。

出版社は早速、ゲラ（本になる前の仮印刷）を送ってきてくれました。

「ぼくらの哲学」の全ページをあらためて紙に印刷してくれて、そこに修正を入れるなら入れろ、というわけです。

自分の単行本を新書にするとなると、全編を改稿し、書名・タイトルももう一度、考え抜くことを編集者が知っているからです。

おのれの書いた本の中身をゲラで読み進めていくうちに、沖縄をめぐる一節に突き当たりました。

作家には二種類しか無いと思います。

ひとつは、自分の書いたものを牛の反芻《はんすう》のように咀嚼《そしゃく》し続ける作家です。有名どころでは、大江健三郎さんですね。中学生の頃から、そう思っていました。いい習慣だと思います。

もうひとつは、書くとカタルシス（浄化）が起きて、つまり内なるものが外に噴出して、魂が綺麗さっぱり、その部分は空になって何を書いたか、肝心なところほど忘れるタイプです。わたしは間違いなく、後者です。

だから「ぼくらの哲学」の新書用ゲラも、そこに生々しく記されている事実や現実にあらためて自分自身で引き込まれながら読んでいたのです。

そして、沖縄の白梅《しらうめ》の塔をめぐる場面で、おのれが直面した無残な事実の経過が、奔流のように甦ってきました。

白梅の塔というのは、西暦一九四五年、昭和二十年六月の沖縄戦で身を捧げた沖縄県立第二高等女学校の少女たち、白梅学徒看護隊を偲ぶ供養の塔と、自決壕です。

観光地になっている、ひめゆりの塔（沖縄県立第一高等女学校と沖縄師範学校女子部の生徒たち）とは対照的に、沖縄県民の方々の多くからも忘れられていました。ましてや、ヤマトンチュ（本土出身の日本人）のわたしは全く知りませんでした。

教えてくれたのは、沖縄の個人タクシーの運転手さんです。大学を出て共同通信に入って最初の夏休みに沖縄を訪れたとき、「あなた記者なのか。じゃ、県民も忘れているここをみんなが思い出すようにしてください」と運転手さんに頼まれ、二十六歳のわたしはそれを運転手さんに約束しました。

当時は記者ですから記事にして、約束を果たそうとします。ところが「青山くん、那覇支局員じゃない君がなぜこれを書くんだ」とデスクに常にボツにされ、お参りだけを続けていました。

やがて十九年近く居た共同通信を去り、三菱総研の研究員となってテレビ番組に参加するようになりました。

それがきっかけで自決壕から生き延びた中山きくさん、白梅同窓会長らと知り合いになったのです。

「ぼくらの哲学」のゲラを読み始めた西暦二〇二三年八月より七か月前、きくさんは九十四歳でついに亡くなりました。ハグをするといつも、不肖わたしの腕のなかで十六歳の少女に戻るきくさんでした。

そのきくさんが「ひめゆり（の塔）だけが観光地になって、映画にもなって、あとのわたしたちは忘れられてしまってね」とわたしに何度か、俯《うつむ》きながら静かに仰いました。

沖縄の少女たちの学徒隊は、ひめゆり、白梅以外にも全部で九つの隊があり、同じく悲痛な惨劇に直面したのです（少年には鉄血勤皇隊という悲劇がありました）。

那覇で講演し、白梅の塔に触れたとき、中年の労組幹部が憤激の表情で立たれ、「しらうめの塔など、無い。ひめゆりを言い間違えているだけだ。ヤマトンチュが知ってて、ウチナンチュ（沖縄県民）が知らないなんてことは、あり得ない。なんていい加減なことを言うのか、あなたは」と烈しく詰め寄られました。

わたしは「明日、白梅の塔にみんなで集まりませんか？　少女たちが喜ばれると思います」とだけ答えました。

翌日、たくさんの男女が世代を超えて、集まられました。ウチナンチュが大半でしたが、ヤマトンチュもいらっしゃいました。糾弾なさった男性はお見えになりませんでしたが、口々に「こんなとこ、知らなかった」と仰るのを見て、わたしにその考えが浮かんだのです。

考えとは何か。

白梅の塔の敷地は、案外に広いです。

お土産屋さんも案内板も何もありませんから、広く感じるということもあります。

ここに天皇皇后両陛下に行幸啓をいただいて、ひめゆり、白梅、なごらん、瑞泉《ずいせん》、積徳《せきとく》、梯梧《でいご》、宮古高女、八重山高女、八重農の全学徒隊の生き残りのみなさんに集まっていただくのはどうだろうか。

わたしはきくさんと、その同窓生に「みなさんの同級生は無駄死になさったのではありません。みなさんがいらっしゃったから、祖国が生き続け、わたしたちが生まれたのです」とお話ししてきました。

今上陛下（当時。現・上皇陛下）は皇太子時代に敗戦を直接、体験なさっています。皇后陛下とともに沖縄県民に深い、海より深い感謝と敬意を捧げられ、日本国民も四方《よも》の海のはらからも永遠に安かれと祈りを捧げ続けておられます。

この行幸啓が実現すれば、さまざまに複雑な恩讐を超えていく、大きな契機になるのではないか。

そう考えて、陛下のお膝元の宮内庁、あるいは警備を担う警察庁と交渉しようと決意しました。

しかし政治家に頼もうとはカケラも考えませんでした。

いち民間人に過ぎないおのれの立場を顧みず、記者時代や民間専門家の頃、ささやかに培った人脈を頼りに、宮内庁長官や警察庁幹部へ直交渉を重ねました。

そこから日本は底力を発揮します。

当時の羽毛田《はけた》信吾・宮内庁長官は、皇位継承をめぐってわたしと考えの違う人です。ところが、この不躾《ぶしつけ》な提案を、熟考してくださったうえに、陛下に上奏なさってくださいました。みなさん、いち国民の提案を陛下にです。

警察庁と皇宮警察も、沖縄県警と連携して白梅の塔を秘かに入念に調べたうえで、容易ではない新たな警備課題を引き受けてくれました。

そして両陛下の行幸啓が内定しました。

わたしは民間の専門家として日本の官尊民卑の体質に何度も苦しめられてきました。しかし、いざとなれば、いち民間人の拙《つたな》い提案で、両陛下がお出ましになるのです。

祖国の沖縄、その歴史も、日本の歴史も知られざる深いところで書き換えるような決断が、日本政府の各所で起き、最後は両陛下の大御心《おおみごころ》をいただいて実りました。

もう、わたしの提案など関係がありません。政府の高官たちと、それから畏れ多くも両陛下に、魂からの尊敬と感謝を胸のうちで申しあげていました。

それが突然、暗転をします。

仲井眞弘多《なかいまひろかず》知事（当時）が電話してこられて「青山さん、宮内庁が急に断ってきましたよ」と仰いました。

急いで関係者に聴くと、事実は真逆です。

沖縄県庁の幹部ふたりが、知事をも裏切って、勝手に、秘かに宮内庁に電話し辞退していたのです。

知事の許しを得て、わたしはこのふたりに会いました。

「ぼくらの哲学」のゲラのこのあたりを、新書化のために読み返していて、ふたりの顔や声がまざまざと甦ってきました。やや年配の大幹部と、中堅幹部、要は県庁の中枢にいるおふたりです。

場所は、衆議院の議員会館にある会議室のうち、いちばん狭い部屋でした。

当時はわたしはまだ、選挙に出るのを断り続けていた頃です。国会に出た今も、衆議院ではなく参議院の議員です。

だから国会議員として部屋を使ったのではありません。たまたま衆議院議員と何かの議論で会い、急ぎ、沖縄県庁のふたりと会わねばならないから急遽《きゅうきょ》、交渉して使わせてもらったのです。

なぜ急いだか。

中山きくさんをはじめウチナンチュのみなさんのこゝろと両陛下の大御心への裏切りを、少しでもちいさくするために、次善のことを手遅れにならないうちに動かそうとしていたからです。

わたしはふたりに、このあまりに重大な背信行為の動機を、こう問いかけました。

「ウチナンチュが忘れていた、沖縄県庁も忘れていた白梅の塔を、ヤマトンチュのぼくが県民に知らしめているだけでも都合が悪いのに、両陛下の行幸啓まで起きてしまっては困るからでしょう」

ふたりが、悔いる表情と沈んだ声で認めたことがわずかな救いです。

わたしはこの時、ふたりを責めなかったし、大きな声も出さないし、憤怒はすべて胸に納めました。

個人攻撃は、いつでもどこでも、致しませぬ。

では胸に納めた憤りは何だったか。

それは、日本の戦後史への怒りです。

沖縄以外の日本人はすべて加害者で、沖縄県民はすべて被害者だと刷り込み続けている、たった今の日本です。

祖国の沖縄、祖国の北方領土、祖国の東京、祖国のわたしのふるさと神戸、みなみな同じです。

なぜ、切り分け、なぜ、同胞を加害者と被害者に分断するのか。

わたしたちは、間違っている。単に新書にするのでは無く、もはや、全部をぶちまけるべきだ。

八月二十九日の夜明けに、そう考えた瞬間、TELL-ALL BOOKという慣用句が新書版の新しい書名として浮かんだのです。

これは、ハイフンが付いていることで分かるように、ひとつの単語になった慣用句です。

和訳するときには「暴露本」とするのが普通です。

わたしは暴露本など書きませぬ。

英語だし、暴露本じゃないし、こんなのタイトル候補じゃ無いと思いつつ、まさかこれを新しいタイトルにしないよねと考えつつも、胸に食い込んできたのです。

英語と言うより、これまで述べてきた通り、共通語です。

敗戦国の殻に未だにみずからを閉じ込め、敗戦国であることをむしろ既得権益に変えて、これまで通りの日本で居よう居ようとする、それを脱する。

国会議員に通訳が必要だということも、これまで通りの日本です。TELL-ALL BOOKという異常な書名、タイトルこそが正しいのじゃないか。

国際社会の常識に立ち戻り、日本だけが悪いという刷り込みを跳ね返すためには、国際共通語で問いかけるのは、どうだろう。

この日はちょうど、編集者ふたりと協議する日でした。

この異様なタイトルが頭に浮かんでからおよそ六時間あとに、編集者と向かい合いました。ほかの日本語のタイトル候補とともにTELL-ALL BOOKも印刷して、編集者ふたりに見せました。

意外にも、ふたりは即座に一致して、この国際語の書名だけを選びました。

わたしはさらに、個人ブログで「新書のタイトルを英文にするのはどうか」とみなさんに問いかけてみました。

これも意外そのものの反応です。連日連夜、「それはいい」「愉しみです」という書き込みばかりです。

なぜなのか。

現状の打破というニュアンスが伝わり、共感が生まれるのでしょうか。

ブログで問いかけてから、かなりの時間が過ぎたあと、当初は『最初に来るだろう』と想像していた書き込みが来ました。おひとりだけです。

「なんで日本人の私が英語のタイトルの本を読まなきゃいけないんだ」

その通りですね。

憎悪する気配もあるかなと思いましたが、そうではないと考えます。真っ直ぐな疑問でしょう。

しかし、わたしが憎まれてこそ、これまでの日本ではいけないと、伝わるかもしれない。

そう考えています。

白梅の塔をめぐる「次善の試み」とは何だったか。どのように決着したか。

それは、本文をできれば読んでください。


この一文は、中東ドバイから、サブサハラと呼ばれ苦しむサハラ砂漠以南のアフリカであるザンビア共和国に、公務で飛ぶ機中で記しています。

日本はアメリカとも中国とも違い、凄絶《せいぜつ》な現実に苦しむアフリカを含め、世界をほんとうは救える国、自国民をも同時に救うことのできる潜在力（ポテンシャル）を持つ国民国家だと考えています。

わたしのところには「なぜ岸田政権は外国人ばかりを大事にして、日本人を軽んじるのか」と嘆く声が毎日、誇張でなく毎日、届きます。

外交を展開すると言うよりも、外国に媚《こ》びていて、その負担の付けを自国民に回している、その深い暗部を主権者に見抜かれている。わたしはそう考えます。

わたし自身を含めた国会議員と、議院内閣制に基づき国会議員の中から構成している政府は、謙虚に自戒せねばなりません。

そのうえで国の関係もまた、人間個人の付き合いと変わるところはありません。孤立に良き未来は無く、媚びには良き現在がありません。

世界のひとびととわが同胞に、敬愛と尊厳を込めて「すべてを明かす本」、暴露という志を喪った行為ではなく、保身なく恐れなく真実を明かす本として、この新しい書、新書をみなさんの元へお届けしたく思います。

飛行機は、アフリカの荒涼たる茶色い大地へ高度を下げながら、アフリカ人、西洋人、アジア人ら乗客それぞれの運命を乗せていま、懸命に飛んでいます。

【追いかけて記すこと】

わたしはその後、ザンビア共和国からさらに南下して、南アフリカ共和国へ入りました。

いずれも、病院や職業訓練校、大学あるいは鉄道で、日本の行政府がＯＤＡ（政府開発援助）を使って援助している現場を、立法府（参議院議員）の立場から調査するのが責務です。

そのＯＤＡのなかに「草の根の無償援助」という、ちょっと面白い命名のものがあります。草の根とは、底辺から社会を支える民衆のことです。たとえば放っておけばスラムの焼けたトタン屋根の下で泥水を使って、母子ともに死に直面しつつお産をするお母さんを救うための援助です。

今回の調査は、なかなかに厳しい日程でした。烈しい直射日光のなか、マラリア感染を引き起こす怖れのある蚊の大群に襲われ、「計画停電」とは名ばかりの突然の停電に苦しみ、そのなかの公務日程は息つくいとまも無かったのが実感です。

調査の最後に、アフリカ大陸の最南端、喜望峰のある港町に入りました。ケープタウンです。南アの第二の都市です。

日本からもっとも遠い都市のひとつでもありますね。ところが入っていくと、なんだか胸がすこし締めつけられるように懐かしいのです。

わたしの生まれた神戸市に似ているんだと、気づきました。

神戸の背後には、市民が憩う六甲山《ろっこうさん》や摩耶山《まやさん》があります。街が山から海へと続き、そして港から世界へ開かれています。ケープタウンのうしろには有名な異形の山、テーブルマウンテンがあります。山容のてっぺんが文字通り、巨大なテーブルのように平たいのです。そして街は、神戸と同じように山から海に降りていき、南極海へも大西洋にもインド洋にも開けています。

神戸の人懐こさ、さっぱりとした明るさが好きです。しかし三人姉弟の末っ子のわたしは家を継ぐことはありません。母に「お姉ちゃんは家の決めたお見合いをして結婚する。お兄ちゃんは家を継ぐ。おまえだけはひとりで生きていけ」と幼い頃から言われ続けて育ちました。姉と兄は知らないと思います。おかげで強い自立心が育ちました。

十八歳で箱根の山を越えて東京の大学生になってから、俺は独立して生きていくんだ、ふるさとには戻らないと決心していました。

ケープタウンに居ると、ふと、その神戸を想いました。長いあいだ、世界を回ってきて、初めてのことです。

しかしケープタウンには深い影の部分もあります。形容を絶するほど、息を呑むほど住環境の悪いスラムです。

そこに住む、わたしたちと同じ人間をはじめ、恵まれないひとびとを扶《たす》けようとするのが「草の根無償援助」です。

無償ですから、貸すのではなく、そのまま南アフリカ共和国に、日本国民から預かった税金を含めた援助を渡します。

わたしたち調査団が訪れた病院には、妊婦の胎児を超音波で調べる医療機器もあり、そこには日の丸と共に「日本国民から」と英文（from People of Japan）が記されています。日本から、とするのではなく、日本の国民からと明示されているのです。

日本はかつて中国にも膨大な援助を行いましたが、こんなシールが貼られたりしていません。

このアフリカ人の心身に染み入る援助を、現場で担っているのは、まだとても若い村本みゆきさんです。在ヨハネスブルク日本国大使館の二等書記官です。

この女性外交官が現場を歩きに歩き、どんな援助が必要かを調べ上げ、そして必要な協議のうえで決定しているのです。

他の援助と比べ金額がちいさいこともあり、また、きめ細かな支援の選択ができるように、若い女性が重い責任を担っています。

その謙虚な努力に現場で接して、わたしは胸を揺さぶられました。

この村本さんと連携しているのも、村本さんよりさらに少し若い林美香・二等書記官です。林さんは国士だと、何気ない会話からびんびんと感じました。外国に媚びる援助ではなく、共に誇りを持って生きるための援助だと、現場の苦闘を通じて知っている外交官だと考えています。

知られざる現場、地球の最南端で献身するふたりに感激し、思わず、この新書のタイトルについて意見を聴いてしまいました。

意見を聴くまでに、英文に、ただ一字の日本語を加えることを考えていました。アフリカに出発する前のことです。

その文字を何にするか、ザンビア深南部で見たこともない蚊の大群に襲われマラリア感染の危機に直面し、夜に浴室だけを大量の殺虫剤で駆除し朝まで立て籠もって原稿を書きつつ考えました。ザンビアから移動した南アでも突然の停電によって漆黒の闇で歯を磨きつつ、考え続けていました。

そこに、ふたりの日本女子、天照大御神《あまてらすおおみかみ》の国の公務を背負ったふたりが戦う姿を間近に見ました。

すると、「戦」、せんの一字が浮かんだのです。

幕末の時代、柔らかな調和を通じて国運を切り開こうとした坂本龍馬さんに対して、同郷の盟友の中岡慎太郎さんは「戦の一字である」と異論を唱えたとされます。

不肖わたしは高校生の時から『俺は龍馬さんとおんなじ道をいく』と勝手に考えていました。今、国政の現場にいて、その考えに変わりはありませぬ。そのうえでの「戦」です。

ケープタウン郊外の職業訓練校で、学長らと議論しつつ、わたしは下手なジョークを飛ばし、学長が黒い巨体をのけぞらせ白い歯の裏側まで全部見せて笑っているとき、ぽんと、戦の一字が頭の別のところに浮かんだのでした。

海外での交渉や議論は、ユーモアが欠かせません。

おたがいにその場で理解できるよう共通語でユーモアを飛ばす、そこも肝心なところだと内心では懸命に考えて話していて、学長と、その場に居た黒人も白人も笑い転げる嬉しい反応に、ぽんと出ました。

こうしてこの新書の書名が定まりました。

にほんの哲学を世界にそっと送り出すとき

てつがく。

それって何だろう。

かつて「ぼくらの祖国」という書を世に問いました。日本の根っこに息を潜めて、しかし脈脈と生きる希望を一緒に考えようとするこの書は、意外なほどの反響をいただきました。その続編を書くときに一度、「ぼくらの哲学」というタイトルを考えたのです。

するとブログの読者から「哲学なんて本は売れないから変えるべきだ」という書き込みが続々やって来ました。

それでタイトルを変えようかと思ったのではありませぬ。売らんかな、売れればよい、そう思って本を書くのではありませんから。

タイトルは未定のまま、「ぼくらの祖国」の続編を書いていくうちに、たとえば、わたしたちの生きる根本ルールであるはずの憲法をめぐって学校で教わらない、知られざる真実が多すぎることを共に考えたいという内容になりました。ぼくは、あらかじめ内容を決めてしまって書くのではなく、筆が自然に進むがままに綴《つづ》るタイプの書き手です。

そこで、「ぼくらの真実」というタイトルを付けてこの続編を出し、そのあと、すこし考え込んだのでありました。

なぜ、哲学というタイトルを嫌がるひとがいるのだろうかと。

人のことは言えない。ぼく自身、哲学を学ぼうと慶應義塾大学の文学部に進みながら、哲学が死んだ学問に思えて両親にも友だちにも恩師にも相談せず勝手に中退してしまい、早稲田大学の政治経済学部・経済学科を受け直して入学し卒業したのでした。ひとりで早慶戦をやってしまったのは、哲学から逃走したためとも言えます。

ぼくの世代は、ずっと上が大学紛争の全共闘世代であり、すこし上が高校紛争の世代です。高三の上級生たちが職員室を占拠しているとき、下級生のぼくは、のちに弁護士となった正義感の強い同級生らと共に、この紛争がよい結果を残して終わるよう先生方と上級生のあいだに入って未熟なりに懸命に動いていました。その紛争が終わって上級生が卒業すると、みんな、さぁっと一斉に受験勉強に没入し、ぼくは胸の裡《うち》であっけにとられて取り残された気持ちになったのです。

そして高三の十一月に突如、気がつく。

自分だって同級生と同じく、大学に行くのが当然という家庭に育ち、しっかり有名大学に行き就職も有利になることをいわば当然のこととして横に取っておき、おのれはこっそり安全圏に置いたうえで、学校に対しても、世の中に対しても考え、発言しているのだと気づいてしまった。

ぼくが勉強部屋に籠もったから、親も友だちも、ぼくがやっと受験勉強に取りかかったとすこし安心したのじゃないかと思います。ほんとうは、ひとりでただ机の前で苦しみ抜いていました。何も手につかなかった。これだけはやめたことが無かった読書もしばらくはできなかった。幼い頃から沢山《たくさん》の本を買ってもらったのも、そういう家に生まれ育ったからであり、ただの特権ではないかと、慣れ親しんだ本棚が違って見えました。

この「十一月」が、永遠の出発点です。

おのれを例外としない、聖域にしない、特別扱いしない。

そこから永い時間をかけて、ただ人のために生きるという、ごくごくささやかな、おのれなりの哲学を創っていって、今は国会にいます。

十八歳からこれまでの時間を三十行ほどで書けばこうなります。しかしほんとうは、そんな簡単にはいきません。その十八歳の十一月から始まって、慶大へ無事に入ってからも、人知れず自分を責めさいなむことがより先鋭的になりました。親も兄姉も友だちも、淡い恋の相手も、誰も気付いていなかったと思います。ぼくは明るい性格でしたから。

おのれの魂の奥でだけ、底へ底へ降りていって最後は、死ぬことがこのうえなく怖くなったのでした。もう二十歳を過ぎる頃です。

もともと幼いときから、何をしても最後は死ぬ、おのれのすべてが消えるということが怖かった。ひとりで寝ていて、喩《たと》えようもなく怖くなることがありました。すると両親の寝室へ行って父と母のあいだに潜り込み、父は何も言わず受け容れてくれ、母も何も言わずにぼくの背中をとんとんと軽く叩いてくれて、それで安らいで眠りに就き、そして朝になって陽が昇ると、すべてが自然に思えて何も怖くなくなる。これがたまに繰り返されました。

その記憶が甦る、というより、もはや心のなかであえて父も母も遠くに置き、自立するひとりの男として突き詰めていったのでした。

つまりは、この問いは存在への問いかけでありました。むしろ最後に死の恐怖に辿り着いたから、「おのれのことだけを考えて生きていれば、やがて死ぬだけだ。空しいだけである」という考えを抱いて、どん底から再出発することができたのではないかと思います。

救われた直接のきっかけは、キェルケゴールの「死に至る病」を手にして、ぱらぱらと読んだことでした。読んだというより、ぼくが魂のなかで弱り切っていた時ですから、ただ文字の列を眺めたに近かったでしょう。

セーレン・オービエ・キェルケゴール。この世界に知られた名はドイツ語読みですが、ほんとうはコペンハーゲンの裕福な家に生まれたデンマーク人、四十二歳で路上に倒れて急逝した哲学者です。

今では実存主義哲学の先駆者と言われていますが、それは関係ありません。ぼくが実存主義を奉じているわけでもありません。

有名なスケッチ。
26歳から27歳頃とみられる。

「死に至る病」は、どんなに豊かな可能性がある人でも最後は死という絶望は避けられないと喝破し、そこからの救済を考える書です。

いかにして救済を得るか、そのキェルケゴールの答えにぼくは救われたのではなく、とことんまで突き詰める姿に、ぼくはひとりじゃない、そう思えて、魂の孤独を救われたのでした。

哲学とは、十代のぼくが若気の至りで考えた「死んだ学問」ではなく、まさしく死を契機として生を呼吸する、存在への問いかけではないでしょうか。すなわち生きる理由です。生きる理由となる目的のことです。

ぼくらのたったひとつの祖国では、苛《いじ》められている子も、苛めている子も、小さな私

（わたくし）の世界に閉じ込められています。

それは、生きる理由、生きる目的が分からない世界です。

祖《そ》の国とは、ぼくらを生み、綿綿と育むもの、すなわちみんなの不動の土台です。さまざまに違う人々が生きる社会であっても、土台には共通の生きる理由、目的がある。

それであれば、人生は大きく、広くなる。

なぜか。

生まれ育って、やがては人のために、公のために生きるという共通の目的があると分かっていけば、おのれだけを守る狭い心、自分をいつも庇《かば》わねばならない息苦しさと緊張から自由になれます。たとえば苛めている子は実はあまりに弱く、いつも人を攻撃することで自分を守らねばならない子です。

日本には、「人のために大きく生きる」ことのお手本がいらっしゃる。上皇陛下が今上陛下であられた時代に、ご譲位を望まれたのは、ご自分がお疲れで休まれたいということではないと考えます。天皇陛下の本来のおつとめは、祈ること。それはご自分のために祈ることでしょうか。すべて、ただ人のため、わたしたち衆生《しゅじょう》のために祈られることです。

それに集中されたいという大御心《おおみこころ》ではないでしょうか。

子供たちは、仮に苛めがあっても、いつかは広く、大きく人のために生きられると思えば、息の詰まる黒い箱のなかで自決を選ぶのではなく、蒼穹《そうきゅう》のもとへ抜け出せます。誰かひとりが抜け出すのではなく、ひとりでも多く、そうあってほしい。

そのとき、このちいさな一冊が何かの手掛かりになってほしい。

祖国にいま必要なのは、死に至る病を超える哲学です。

日本は、たった一度、戦争に負けただけで国家の理念、哲学を失ったと思い込み、それどころか「国が理念を持つと戦争になる」と刷り込まれてきました。

どっこい、祖国とぼくらは、深い泥のなかにあっても土台を喪ってはいません。この書は、その土台がどこにあるか、どうやって見つけるかをすべて具体的に追求していく小冊です。

いま世界は、壊れつつあります。アメリカの大統領選挙の無残な混乱と、国連安保理の一角であるロシアが起こした侵略戦争のウクライナ戦争がその先端です。破壊は希望です。先の大戦後の世界はおよそ八十年しか持ちませんでした。人のために生きる、その大和心、やまとごころが世界の助けになる秋《とき》が来ています。
ちょうど二十歳の頃の不肖あおやまが、キェルケゴールの一冊によって救われたことを、
まさか再現したいとは思いません。そんな僭越なことはとんでもない。
ただ…かすかな手助けになってくれれば、そう祈りつつ、あなたの指と眼とそして魂が、
この書の本文に入っていってくださることを秘かに願っています。
そこで、再びお会いしましょう。

ふたりで見護ってくれる、亡き父、亡き母に捧ぐ。
繁晴、覚悟を定めて使命を果たせというその懐かしい声が、はっきりと聞こえます。

一の章　ぼくらの祖国に、たった今、必要なもの

わたしは「日本国には哲学と理念こそが欠かせない」と長年、民間の専門家時代から述べ続けてきた。

今、岸田政権の行き詰まりを、自由民主党の内部から赤裸々に見ながら、この「哲学と理念」をより踏み込んで提案している。

それは、五観である。

五つの観、その「観」とは「事実を知り、その事実に想像力を加えて、事実への見方を確立する」ことだ。

それは国家観、歴史観、人間観、政局観、そして経済の相場観の五観である。

まず国家観とは何か。

日米欧の大学で講じているような政治学に基づく一般的な「国家とは何か」ではない。

その国家論、学術研究としての国家「論」も、知悉《ちしつ》している方が遙かに望ましい。

しかし現在の日本のまつりごと（政）に最も本質的に肝要なのは「日本人にとって国家とは何か」という国家観である。

不肖わたしは愛国者だ。しかし偏狭な、自分たちに偏った愛国心では無い。たがいに諸国の歴史と文化をこゝろの底から敬愛する愛国者である。

その視点に立つと、真っ直ぐに見えてくる事実がある。

それは、わたしたちの受けてきた教育、いま子供たちの受けている教育が間違いであるという事実だ。

「わたしたち」とは、日本がその永い歴史で西暦一九四五年、昭和二十年にただ一度だけ敗れたあとに生まれた国民だ。

逆に言うと、日本はおよそ八十年前まで、一度も敗戦を知らなかった。

白村江《はくすきのえ》の戦いのように外へ出て行って敗れた・敗れなかったという観点ではない。外国に一ミリ四方といえども国土を占領されたことが無い、主権を奪われたことが無いという意味での敗戦だ。

日本のように二千年を超える歴史を持つ国で、こうした国はほかに存在しない。

良いこと、悪いことは必ず背中合わせだ。国家も個人も変わらない。

外国に侵される非痛苦を味わうことのない国民で居た反面で、いざ侵され占領されたときにどうするか、いかに対峙《たいじ》すべきか、それをまったく知らない、世界で唯一の国民となっていた。

そこへ第二次世界大戦の締めくくりとして、初めての被占領、主権喪失を伴う敗戦がやって来た。

そのために「アメリカの占領軍が民主主義を日本にもたらしてくれた」という大いなる誤りをそのまま、ほぼすべての日本人が受け容れ、たった今の小学生も同じ教育を受け続けている。

米軍が来るまで、日本に民主主義は無かったのか？

わたしは時折、国会とはなにかということを主権者と現場で一緒に考えている。

わたしの属する参議院、その本会議場へ主権者のみなさんと一緒に入り、まずは衛視さんの説明を聞く。衛視さんとは国会職員のひとつで、国会内で警備、消防、そして案内の役を兼ねる。

衛視さんにとっては普通の国会見学と同じだから、決められた説明をなさる。

現在の国会議事堂は、西暦一九一九年、大正八年にデザインが決定された。建設が始まったのは、翌年の一九二〇年、大正九年である。当時、最初の平民宰相と呼ばれた原敬《はらたかし》・

内閣総理大臣が地鎮祭をおこなった。

途中、関東大震災や火事に遭いながら工事は続き、十七年後の一九三六年、昭和十一年の秋に竣工式となった。

衛視さんはこの歴史を話し、そしてなるべく国産材を使ったことなどトリビア（豆知識）を沢山、披露されて説明を終わる。

終わるのを待ってわたしはまず、同じ日本国民である衛視さんに静かに尋ねる。

「ご説明をありがとうございました。ところで、今のご説明のなかで、わたしたちの敗戦後教育が間違っているという証拠がもう、含まれていますね。それはどこでしょうか」

当たり前ながら問い詰める気配は皆無であるから、衛視さんは男女とを問わず、笑顔で一生懸命に考えてくださる。

しかし答えを仰《おっしゃ》った衛視さんは皆無だ。

次に集まられた主権者のみなさんに同じ問いをお尋ねする。

わたしは、わたし以外の全国会議員が与野党を問わず必ず作る後援会を作らないので、後援会のみなさんでは無い。

シンクタンクの独立総合研究所（独研）の創業社長だったときに、わたしと共に現場を歩く会としてインディペンデント・クラブ（ＩＤＣ）をつくった。

その後わたしは最初の参院選の途中に、みずから考えて独研の代表取締役社長・兼・首席研究員を辞め、創業者株も全株、無償で返上した。現在は三代目社長の独研から委託されて、ＩＤＣの会員のみなさんと自衛隊の潜水艦、護衛艦、戦車、哨戒機、ヘリに乗ったり靖國神社の正式参拝を致したり、わたしの運転で富士スピードウェイにてレーシングカーの走りを体験してもらったりしている。

このＩＤＣ会員である主権者のみなさんは、わたしの話を直に聴く機会が多いわけだ。

それでも、わたしの考えているのと同じ答えを仰った人はこれまで居ない。「正解」とは申さない。正解はひとつではないだろうから、あくまでも「わたしの考えていることと同じ答え」である。

ＩＤＣの活動の歴史はもう十二年を超え、国会見学に参加したかたは数百人に達している。それでも、その「同じ答え」を仰ったひとはいない。

わたしは、答えを申す前に、もう一度、本会議場の中を見てもらう。

議長席が真ん中の高見にあり、それを中心に議員席が扇状に並んでいる。

わたしは諸国の議場を見ている。たとえば英米の議場と細かく言えば違うが、議員席が平等に並ぶという根幹は同じである。

「みなさん、では、日本とたとえば戦勝国のアメリカの議場とどこが違うか。それは、天皇陛下の御席があるか無いかだけですね？」

日本の国会は、敗戦の前も後も、この本会議場で開会式をおこなう。かつては貴族院、現在は参議院で、同じ議場だ。だから参議院の本会議場には議長席のその奥に、天皇陛下の御席がある。

これは何を物語るのか。

日本は立憲君主制に基づく民主主義であって、アメリカは、君主の居るイギリスと戦って独立した国だから君主なき民主主義というだけだ。

すなわち日本は日本型の民主主義を持っていたのであって、敗戦でアメリカから持ち込まれたのは、アメリカ型の民主主義に過ぎない。

この国会議事堂の設計は、前述したように大正八年、敗戦の二十六年も前だ。完成は昭和十一年、敗戦の九年前である。アメリカが民主主義を教えてくださった、軍国主義の日本を民主主義に変えてくださったというのは客観的な史実と異なる、その動かぬ証拠が、国会議事堂なのだ。

だが、議事堂には先生に引率された小学生や中学生の見学も多いが、これを仰る先生は、衛視さんたちの証言によればただの一人もいらっしゃらない。

それはそうだろう。日本の敗戦後教育は、世代を超えて、実におよそ八十年、何も変わっていないからだ。

では日本オリジナルの民主主義は、どこに淵源があるのか。

それも極めて明瞭だ。

日本の正史である日本書紀に、仁徳《にんとく》天皇の事績が明記されている。

古代の天皇陛下でいらっしゃる仁徳天皇（崩御なさる前の御名は、大鷦鷯天皇、おほさざきのすめらみこと）は小高い丘に立たれて、民の家々から、夕餉《ゆうげ》の煙が上がっていないことに気づかれた。

陛下はこれを、税が重すぎるために民が夕食をつくれないと御みずからお考えになり、税を取るのをおやめになった。

そのために宮殿は雨漏りがし、お着物はぼろぼろになり、ついには食も欠くようになられた。たまりかねた皇后陛下が「陛下、もう税をお戻しください」と仰ったとき、仁徳天皇は世界史に輝くひとことをお答えになった。

わたしの現代語訳で申せば、こうだ。

「いや、違う。民の幸せだけが朕《ちん》の幸せである」

こうしてさらに税の停止をお続けになり、やがて民の竈《かまど》、つまりキッチンから夕餉をつくる煙が上がるのをご覧になり、ようやく税を戻された。

すると日本書紀にはもっとも感動的な場面が簡潔に記されている。

再び税を納めねばならなくなったのに、民衆は自然に集まり、つまり誰に命じられるでも無く、泥を練り、宮殿の崩れた塀の修繕を始めたという。

わたしが講演でこれを話すと、「青山さんを信頼してわざわざ講演を聴きに行ったのに失望した。仁徳天皇は実在しない、作り上げられた虚像に過ぎない」という趣旨を大学教授が言ってこられた。

これは話が逆である。

もしも仁徳天皇が実在しなかったなら、もっと凄い話だ。実例が無いのに、この国家の理念、国とは何のためにあるかを日本書紀が考え出したのなら、日本が理念国家であることがより明確になる。

そのうえで、わたしは客観的に、仁徳天皇は実在と考えている。仁徳天皇の第三皇子である反正《はんぜい》天皇の御所の跡が大阪の松原市に柴籬《しばがき》神社として遺っている。

わたしが参拝を致すと宮司が「近所の人しか来ないようなこの神社にどうして、国会議員がわざわざ……」と驚かれた。

確かに、ここは有名な神社ではない。しかしほんとうは、世界史的にも重要な神社である。なぜなら、実在が疑われていない反正天皇（反正とは正義に反するのではなく正義に戻すという意味。反はもともと戻すという意味がある）が、父君の仁徳天皇に習って、その皇居の塀を単なる柴垣にし、庶民から中が見えるようになさった証左だからである。

古代の帝《みかど》、それが皇帝であれ王であれ、みずからの衣食住よりも民の幸福を重視した帝は、この日本にしか存在しない。

まだ二百五十年ほどの歴史しか存在しないアメリカが誕生する、その千五百年ほど前のことである。

アメリカの民主主義とは、イギリスに影響された、要は「投票民主主義」だ。

わたしたちは中高で、たとえば古代ギリシャを学ぶときに「すでに投票を採り入れていたから凄い」という趣旨を学んだ。今の中高生も同じだ。だが、果たして投票は万能か。

たとえば敗戦の直前、悲惨な沖縄戦で最期まで県民のことだけを考え一身を捧げた島田《しまだ》叡《あきら》知事は、投票で選ばれたのでは無い。敗戦前の日本では、知事は官選だった。

敗戦後の日本は、すべて何もかも、投票である。行政の責任者を誰もかも投票で選んでいると、大半の為政者の頭の中は「次の投票でいかに勝つか」ばかりになる。

それだからこそ民意をよく汲むという肯定面があるが、同時に、ポピュリズム（大衆迎合主義）に多かれ少なかれ陥る。

日本の古代の仁徳天皇のお示しになった「民こそ国の宝」という思想こそ、民主主義の根幹、まさしく「民が主」の民主主義である。

さらに日本のオリジナル・カレンダーを考えよう。

わたしは五つの専門分野、外交、安全保障、国家危機管理、資源エネルギー、そして情報の各分野のために世界を広く回ってきた。

うちアラブ世界に初めて入ったとき、アラブ人に「日本は古い国だと聞く。ではキリスト教歴（つまり西暦）以外にオリジナル・カレンダーがあるだろう。それはどんな暦か」と片言の英語で聞かれた。

若いわたしは『オリジナル・カレンダー？　そんなもの、あったっけ』と恥ずかしながら思った。そういえば、と思いだしたのが皇紀である。『皇紀はしかし右翼の使うものじゃなかったかな』とも思った。

それでもアラブ人に「皇紀、Emperor's Calendar というものがあります。キリスト生誕の六百六十年まえに神武という初代の天皇陛下が即位されたときから始まっているカレンダーです」と答えた。

するとアラブ人は、周りの人を巻き込んで大喜びだ。「さすがは日本だ。キリストより六百年以上も古い」

アラブ人は新幹線も憧れだし、広島、長崎の被爆にも関心が強い。何年かのち、死海へ向かうタクシーのなかでアラブ人の運転手さんに「ウエン・ジャパン・ストップ・アメリーキ（日本はいつアメリカ寄りをやめるのか）」と、やはり片言の英語で聞かれたりもしたが、日本のファンであることに変わりはない。

皇紀でアラブ人が大喜びした場面を日本で何度も思い出すうちに、わたしは気がついた。皇紀の始まりは、神武天皇のご生誕ではない。即位なのだ。

これも日本型民主主義の肝心なところである。

もしも神武天皇のご生誕がオリジナル・カレンダーの始まりなら、神武以来の天皇陛下は独裁者の系譜である。しかし即位というのは、すなわち、民衆の幸せのためには国家が必要であるという象徴だ。

神武天皇が仮に神話上のご存在なら、よけいに「国家こそが民を護る」という理念を抱く国である。

民主主義への対立概念は、独裁主義だけではない。独裁主義の血を分けた兄弟である共産主義と社会主義、それから無政府主義、こうした人類の過ちと正対するのが、古代からオリジナルの民主主義を持つ日本だ。

これが五観で言う、国家観である。

日本のまつりごと（政）に従事する者は、日本人にとって国家とは何かという国家観を持っていなければならない。

ここに記したのは、わたしの独自の国家観と言えば、そうである。

しかし第一の問題は、日本人にとっては国家とは何かについて確たる観、すなわち哲学を持っているかどうかだ。

そのうえで、その哲学と理念が民の支持を得られるかどうかが第二の問題となる。

現在の岸田総理をはじめ、日本政治で与党を務める自由民主党の国会議員に問われるのは、まず第一の問題だ。

哲学と理念があって初めて、第二の問題が問われることになる。

第一の段階をクリアできない政治家は、去らねばならない。

なぜなら世界は今、壊れゆくからだ。

第二次世界大戦は、イタリアが急に連合国側へ寝返り、ドイツは降伏し、最期まで抵抗した日本の無残な敗戦をもって終わった。戦勝国は敗戦国が二度と立ち上がれないことを狙う体制を造った。

その中心が、連合国という仕組みの存続である。

戦勝国と言っても、日本に勝ったのはほんとうはアメリカだけだ。したがってアメリカだけが真の戦勝国であるから連合国の戦後の本部をニューヨークに置いた。

そして戦時下の仕組みであった連合国が、戦後も続くための理念集である連合国憲章も作った。

何の話かと思われる日本人もいらっしゃるだろう。今の話の「連合国の戦後の本部」を「国連こと国際連合の本部」に替え、「連合国憲章」を「国連憲章」に替えれば、日本の誰にも分かる話になる。

「連合国」の英語原文はUNITED NATIONSだ。連合している国家群、すなわち連合国そのものである。

連合国の軍事的側面に焦点を当てると、ALLIED POWERSという言葉もある。

しかし国際連合というのなら、INTERNATIONAL UNIONというあたりの、なんとも緩いニュアンスの英文になる。

逆に、UNITED NATIONSでも、ALLIED POWERSでも、それを国際連合と訳すのは無理、正確に言えば誤訳、さらに踏み込んで申せば、意図的な誤訳である。

敗戦後の秩序は、あくまで戦争の勝利者が敗者を支配する体制だ。それも、不当にも永遠の支配を目指して強固な、国際法も実は無視した体制をつくることを狙っている。

それを告発すべき日本自身が、敗者であることを理由にすべて無条件で呑み込み、わざわざ「連合国」を「国際連合」と偽って訳したのである。

その誤訳を、わたしを含む日本の子供たちに教え込み、植え付け、たった今の子供たちにもそれを続けている。

洗脳という嫌な言葉があることを知らない日本人はいないだろう。しかし本物の洗脳がこうやって日本の教師、学者、評論家、政治家、メディアの記者たちによっておよそ八十年ものあいだ全日本人に行われ続けていることを知る日本国民は、ほとんど居ない。

いや実は、その教師、学者、評論家、政治家、記者自身が、自分たちが集団洗脳を遂行していることを、知らないのである。

どんな洗脳か。

戦勝国の支配のために造られた世界と日本の戦後体制を、人類の美しい恒久平和のために新しく創られた体制、すなわち「国連」と思い込ませることである。

わたし自身も、実際にニューヨークの「国連」本部を訪れ、たとえば戦勝国を名乗る中国が「国連」ではなく「連合国」（聯合国）と表記しているところをこの眼で見るまで何も気付いてはいなかった。

その体制の重要項目として作られた日本国憲法第九条が、日本を永遠に武装解除したために、日本は、自国民を護れない「国家ならざる国家」となり、国際法の秩序からひとり外れた奇妙な国になっている。

その客観的事実をよく知る北朝鮮は、日本は国民を奪われても決して取り返しに来ない国だと見抜いて、日本国民を好き勝手に拉致した。

しかしその九条が、改憲を掲げたはずの安倍長期政権下でも一字も変わっていないのは、この洗脳と思い込みのためである。

日本の永い歴史のなかで、特に、敗戦後の歴史をこうして国際法に基づいて客観視できているかどうか、それが五観の第二、歴史観だ。

このふたつの観、国家観と歴史観はいわば両軸である。しかしこの両軸は、何よりも人間観という大いなる土台に基づいていなければならない。

にんげんはいくらでも穢《きたな》く、無残なことをできるし、同時に、遥か高みにあること、清浄なこともできる。たとえば文学はそれを知るためにある。その人間の本態を熟知し、熟知しているからどこまでも寛容であり、そしておのれ自身がどれほど危機に直面してもなお謙虚である人間観、これを持っていなければならない。

さらに、この人間観に基づいていると政局観が正確になる。政局観とは、政治がダイナミズム、すなわち奔流のような動的エネルギーを常に隠し持っている魔王のようなものであることを知り、それに先んじて動いていくための現状分析と予測である。

人間を知れば、初めて、政局を知る。

さらにこれら四観を得れば、人間の所業である経済がどう動くか、動かすべきかを知る。

岸田政権がなぜ増税志向ばかりで減税が無いのか。それは背後の日本経団連をはじめ財界が国内需要、すなわち日本国民にモノを買ってもらうことを期待していないからだ。日本国民は人口が減り続け、しかも大半のモノをもう持っていて、さらにすでに持っているモノは国民、労働者の永年の努力で容易に壊れない。だから売れない。これに対し中国やインドは人口が多く、中国はすでに人口減に転じているといっても、まだ下水道がない、車もない人口がざっと十億人いるとみられている。さらに中国は独裁者が買えと言えば万民が買うから、独裁政権に媚びれば良い。こうして日本の財界は親中であり「消費税は二〇%にせよ」と首脳陣が発言したりする。

増税発言をしておけば財務省を味方につけられる。

予算の入りも出も（歳入歳出とも）ひとりで決めてしまう財務省に服しているのは政界だけではなく財界もそうであるのが日本だ。

岸田政権は経済政策も哲学を欠くから、こういう財界の傾向に簡単に流されてしまっている。

しかしほんとうは経済も「民が主」でなければならない。武漢熱から脱していくなら、需要の回復を内需中心に本物にするために、まず減税が不可欠だ。その相場観も欠いている。

この経済の哲学と相場観を合わせて、五観である。

戦後体制はいま、世界の眼前で、完膚なきまでに崩壊しつつある。

「連合国」の支配体制の根幹は、安保理常任理事国と称して「五大国」が支配することにあった。その一角、一角と言うよりは冷戦時代は世界を二分したロシアが、世界を敵に回してウクライナ侵略を起こした段階で、もう戦後秩序はオシマイである。

逆に言えば、もはや日本の指導者は、これまでの敗戦後体制に依存することができなくなった。

五観に基づく日本のほんとうの独立政権を樹立せねばならない時が来ている。

さて、場面を平成の世の二十六年目に移そう。

晩秋の一夜、早稲田大学の昭和十九年創立というサークル「國策研究會」の学生諸君の求めに応じて、大隈講堂でささやかに講演を致した。西暦で申せば二〇一四年のことである。

終わって、キャンパスの常緑が明かりに映える外廊下に出ると、意外な人がわたしを待っていた。

それは花田紀凱《かずよし》さんだった。「なぜ、花田さんがお待ちに」と咄嗟《とっさ》に本音がわたしの口から零《こぼ》れた。ちいさな信念として世辞は言わない。若い記者だった頃から闘う人として名を存じあげている。伝説の編集者だ。講演を聴きにわざわざいらしたことに一驚しつつ立ち話を交わすうち、さらりと決まった提案があった。

それがこの書籍である。

まず、花田さんが編集長の論壇誌に新しい連載をする。やがて、それを本にする。

連載は久しぶりだった。昨今の詰まった日程では無理だと考えていた。ところが「闘う人」があまりにも穏やかに「その忙しさでは難しいですよね」と仰るので、つい、引き受けた。引き受けた以上は、これまでにない連載にしたいと不遜にも願って年末年始を過ごした。

そして連載名を澄哲録、「ちょうてつろく」としたいと考えた。

ぼくらの祖国には、たった今、哲学と理念こそが必要だ。ただ一度、戦争に敗れると「日本だけは、国家の目標をもはや持ってはいけない。持てば軍国主義になる」と学校教育とマスメディアによって思い込まされてきた。

わたしたちがたった今を生きる日本社会では、親が子をあやめ、子が親をあやめる。苛《いじ》められた子が自害する。その惨状に、もはやすっかり慣れてしまい、ニュースにさして驚かない。なんと言うことだろうか。

その病根のひとつは、他者のために学び、他者のために働くという生き方、目標が分からないことではないだろうか。なぜか。目標なき国の民には、おのれの利害しかないからだ。おのれの利害しかなければ、親子の情よりも友情よりも、ただ自分の感情、いらつく感情だけがすべてになる。

ならば、敗戦で一度は死した哲学を超える哲学を創りあげたい。新しく公のために生きる哲学である。しかし超哲学では、いちばん大切な謙虚さを失う。みずからは名を上げず、成果も見ず、無駄に死ぬ。そのように、こころを澄ませて取り組みたい。そこで超の一字を澄と変えて、澄哲録とする。

ただ、この連載で体系化しようというのではない。まずは河原にさまざまな小石を積むがごとく、あえて断片でありたい。したがって澄哲録片片（ちょうてつろく・へんぺん）

と致したい。そう決めたのだった。

「なんちゃってリベラル派」

この大隈講堂の出逢いがあった西暦二〇一四年は師走《しわす》に総選挙が挙行された。そのあと、当時の安倍晋三総理がふとわたしに語ったひとことがある。

「もし解散していなければ、確かに、やられていたね」

安倍さんの、国会審議ではなく日常の語り口は、「独裁者」と揶揄《やゆ》されるにつれむしろ穏やかに、平易になっていった。わたしの実感である。

この時の安倍総理は、消費税率を再び引き上げることを延期しようと考え、わたしとも協議していた。わたしは引き上げの延期だけではなく、引き下げを提案し、また衆院解散に打って出るよう、強く、何度も進言した。

やられただろうね、とは「財務官僚と自民党の一部が結んで、消費再増税を延期するための法改正案を国会で廃案にされるか、それどころか国会に上程できないようにされた」

という意味だ。

そうなら内閣は保《も》たなかった。独裁者どころか、内閣は総辞職し、安倍さんは失脚となっただろう。

安倍総理は民間専門家時代のわたしとも電話を重ねて議論した。迷いを口にされることもあった。わたしは、「解散しないとやられます」と語調を強めた。気がつけば、電話を持たない右手の拳《こぶし》を握り締めて力説していたのだった。安倍総理は衆院を解散し、総選挙の大勝で政権基盤を固めた。おかげで増税延期の法改正はできる見通しとなったが、実態は小選挙区を公明党に頼り切る選挙でもあった。

公明党と支持母体の創価学会は、かつて「住民を移動させている」と批判されると（当事者は否定）、静かに穏便に全国の小選挙区ほぼすべてに「二万人以上」とされる票、それも雨が降ろうが槍が降ろうが投じられるという票を確保した。実際はかなり減ったという分析もあるが、定数一の小選挙区で競り合う自由民主党の代議士や候補者にとっては麻薬である。一度使うと、切ることができない。

そのうえ師走選挙で与党大勝ではあっても実は自由民主党は減り、応援団の「次世代の党」は右翼とみなされて壊滅、同じく応援団になろうとした渡辺喜美さんの「みんなの党」は消滅、一方でこのとき公明党は極限値まで拡大した。

　衆院三十五議席の公明党に、二百九十一議席の自由民主党（いずれも当時）が安全保障政策で引きずり回される。そもそも総選挙の半年前の西暦二〇一四年七月、国際法の保証する集団的自衛権をようやく閣議決定した時も、公明党の介入で実は自縛《じばく》の閣議決定になった。

　わたしは当時、一民間人の立場を貫きつつ、その翌月にワシントンDCを自費で訪ね、アメリカの国防総省、海軍、国務省などの当局者と議論した。そのとき「要は、日本国民の生命が根底から覆《くつがえ》される明白な危険がないと集団的自衛権は発動しないという閣議決定だ。ますますやらないという宣言じゃないか」と追及された。国会で、その閣議決定を法制化するとき、さらに縛りが強くなった側面がある。

　安倍総理が再登板した主目的のひとつは安全保障の改革だ。それで、この実態である。

　一体どこが独裁者か。好き嫌いや、左右のイデオロギーの問題ではない。客観的事実の問題だ。

「なんちゃってリベラル派」が絶対多数の芸能界から、芸能プロダクションと契約してテレビに出る評論家や学者まで「安倍総理は独裁者」と替え歌を歌い、皮肉り、コメントしてきた。しかし政治の実情を何も考えず、また真の独裁者のヒトラー総統や習近平国家主席、プーチン大統領がどれほどの権限を持ち、残酷、無惨に人間に何をしたか、しているかをほとんど知らない。

芸能人もテレビ評論家も、たとえばパリはお好きだろうから、もう一度歩いて見よ。新オペラ座でプッチーニの「ラ・ボエーム」あたりを鑑賞するとき、そこがバスティーユ監獄の跡地であり、一七八九年の監獄襲撃からフランス革命とリベラリズム、すなわち自由と人権の擁護が始まったことを、ほんの少しでも考えてみよ。

パリでもロンドンでも、どこの西欧民主主義の都市でもリベラル派とは自由のためにはみずから銃を取ってでも戦う人々であり、強烈な愛国者だ。

日本の仕組み

敗戦後の日本に新たな哲学を創り出すためには本物の議論を闘わせることが必要になる。それにはまずこの膿《うみ》、すなわち、知らず考えずの思い込みでマスメディアと組んで日本を貶《おとし》め、貶めることでメディアへの露出を確保する人々を、国民、視聴者の側から駆逐することが不可欠になる。

そして独裁者どころか、日本の安全保障を国際法に沿わせることも十全には、できていない安倍総理は「私のやることは何もかも気に入らないらしい」とも、わたしに呟《つぶや》いた。

これも、わたしなりに解釈すれば、以下のような総理の問いである。

「消費税の八％への引き上げは確実にデフレ脱却を遅らせた。それを正直に省《かえり》みて、二度目の引き上げをデフレ脱却の後にするのは当たり前ではないか。なのに財務省とその追従者が倒閣してまで延期を阻止しようとするのはなぜなのか」

デフレ下の増税は無いというのが経済学の常識とされる。ところが本当は、デフレーションヨン自体が資本主義には存在しないことになっていて経済学の教科書になかったのだから、デフレ下の消費税引き上げは一度はやってみないと実のところ影響は分からなかった。

エコノミストの頂点に立つ日銀の黒田総裁にして、やってみて初めて分かったのである。

この総理の問いには、不肖ながらこう答えた。

「安倍総理のすることは何もかも嫌だというより、実態は、敗戦後の秩序を変える奴は誰も彼も何もかも嫌だということです」

安倍さんは「あぁ、なるほど、そういうことか」と疑問が氷解するような、あらためてショックを受けるような、複雑な声を出した。

安倍総理が党総裁を務めた自由民主党をはじめ、日本が「戦争に負けて資源もない国」でいることをこそ既得権益として利を漁《あさ》る人々が政界、官界、財界、東大をはじめ学界、マスメディア……これらに満ちている。

日本がこのままでいてくれれば油やガスを中東の独裁者たちから、戦勝国アメリカやイギリスの仲介で高値で買い続けて、そこからマージンを取って、政治家、官僚、学者、企業で分けられる。

たとえばエネルギーで言えば、これが敗戦後いまなお続く日本の仕組みなのだ。

理念、哲学こそが必要と述べたのは、理屈をつくるという話ではありませぬ。現実の生き方である。

祖《そ》の国を低きに留《とど》めおいて、おのれだけがうまくやる。これが日本のエリート層の真の姿であり、それは日本人の本来の姿だろうか。

二の章

動けば雷電の如く、発すれば風雨の如し

戦略とは、長いスパンを念頭に組み立てるもの、それが常識である。

しかし事に当たって、長中短をまず見分けることが戦略そして戦術を問わず、まず始まりだ。短期に決すべきを長きに取り組むなら、倦《う》む。長期にじわりと構えるべきを短く処するなら、敗れる。

先の大戦の歴史をめぐって、まともな日本国民であれば耐えがたく感じる現実がある。チャイニーズ・マネー、中国の膨大な工作資金によって国際社会で反日の気運づくり（謀略宣伝）が執拗《しつよう》に行われ、韓国が中国の属国かのようにそれに追随し、同盟国アメリカもカネに弱い体質そのままに侵食されている事実だ。

これにどのように公正に立ち向かうか。長中短をいかに考えるか。

安倍総理が再登板してまだ半年も経っていなかった西暦二〇一三年四月、総理は衆院予算委員会で「侵略戦争の定義は定まっていないのでありますから」と述べた。

さぁ、大騒ぎである。真っ先に日本の多くのマスメディアが「中韓が反発へ。アメリカも疑問符」と例によって外国にご注進する報道を行い、中韓はそれに乗って「安倍はやっぱり右翼。歴史修正主義者だ」とアメリカにロビー工作を行い、それをまた日本のマスメディアが広めて、韓国は国会で非難決議を採択し、アメリカの新聞には安倍総理を強く批判する社説が並んだ。そして後遺症は今に続く。

この「侵略戦争の定義は定まらず」という見解は、実は社会党の村山総理（当時）も西暦一九九五年十月、衆院予算委で表明した。民主党政権下でも玄葉外相が同じく発言した（二〇一二年八月、参院外交防衛委）。なぜか。公式の政府見解だからだ。

したがって政治家だけではなく外務省も「確立された（国際）法的概念としての侵略の定義はない」との見解を国会で示した（西暦二〇〇九年四月、衆院決算行政監視委での参事官答弁）。安倍総理もそれを繰り返しただけであり、日本の多くのマスメディアがそれを知らなかったのなら開いた口が塞がらない。知って隠して報じたのなら捏造《ねつぞう》報道だ。

この「従来の政府見解を述べただけ」という事実を時代の論客、阿比留記者（産経新聞）だけが後日、指摘したのはさすがと言うべきだ。

しかしわたしは一方で、安倍官邸の中枢にこう伝えた。

「政治はアンフェアな現実との戦いでもあります。安倍総理の発言だけが意図的に切り取られて反日工作に使われる現実も考えねばならない。安倍総理の志は、歴史に正義を、ということだが国会答弁で力んでみても何も改善しない。安倍さんの答弁を聞いて、あぁそうか、侵略の定義は決まっていないんだから考え直そうという自称リベラル派が、日本にひとりでも居るでしょうか。じっくりと長期戦で、これまでにない方法論で取り組むべきです」

それは何かという政権中枢の問いにわたしは「たとえばチャンドラ・ボース・ジャパン大学（仮称）をインドに創建することです」と応えた。

戦後七十年を象徴する現象

スバス・チャンドラ・ボース、インド独立の英雄である。

大英帝国の植民地だったインドを独立に導いたのは、ガンディーの非暴力主義による抵抗だったと日本では理解され賞讃されている。しかし当のインドでは「それだけでは難しかった。チャンドラ・ボース率いるインド国民軍も背景にあってこその独立達成だった」という認識が普遍的だ。そしてチャンドラ・ボースは日本軍と深く連携していた。日本では学校が教えずマスメディアも伝えないが、インドでは若い人ほど知っている。

ガンディーも、マハトマ（偉大な魂）の尊称を付してマハトマ・ガンディーと呼ばれるように極めて尊敬されているが、インドの若者にいちばん人気があるのは実はボースだ。

ボースは日本陸軍の九七式重爆撃機に搭乗中に事故死し、遺骨と墓は東京・杉並の蓮光《れんこう》寺《じ》にある。ネルー・インド初代首相、その娘のインディラ・ガンディー首相らも墓参に訪れているが、一方で「死んだと見せかけて生き延びた」と、まるで義経伝説のような異説までインドで語られるほど慕われる、尊称ネタージ（指導者）のボースである。

ガンディーはマハトマ、すなわち魂の支えであり、ネタージ、具体的な指導者はボースとして独立を実現したというのがインドの常識だ。

日本では、日本軍に批判的だったガンディーやネルーばかりが語られ、有名になり、日本軍と手を携《たずさ》えたボースは学校でもメディアでも取りあげられない。これもまた、日本をみずから悪者にして生きてきた敗戦後のおよそ八十年を象徴する現象だ。

さぁ、その過去の上に立って、チャンドラ・ボースの名を冠した大学をインドに日本の支援で創り、新しい視点で歴史研究を行う。

アジアには、インドだけではなくベトナムのように日本軍の助けも得て西洋の植民地主義から祖国を解放したと、ごく当たり前の事実として理解している諸国民がいる。

朝鮮半島と共産党支配下の中国だけがまったくの例外として「日本軍は悪逆非道だった」と年々、声高に叫び、これをアジアを代表する声かのように偽装したうえで熱心に追随する多数勢力が日本に満ちている。

しかしチャンドラ・ボース・ジャパン大学にインドやベトナムというアジアの主要国から研究者が集まり、日本も加わって歴史研究が進んでいけば、中国もいずれ無視できなくなるだろう。そのとき、人口が二十万人しか居なかった当時の南京で一体どうやって一般市民を中心に「三十万人」を日本軍が「大虐殺」できたのか、その証拠の提示も中国共産党が派遣する学者たちは求められる。

二十万の人口は、南京に存在した国際委員会（南京安全区国際委員会。アメリカ人宣教師やドイツ人らで構成）が食糧配給という実務のために実施した調査による。ある程度の信頼性がないと配給が行えないから、無視できる調査ではない。

同じ国際委員会が南京攻防戦の三か月後に「市民の戦争被害を調べる」として調査した

結果では人口は二十五万人に増えている。中国共産党の主張に従えば、人口が元は「マイナス十万人」という、あり得ないことになるが、少なくとも人口を超える虐殺があったということだから、人口はいったんゼロになっているはずだ。その「虐殺」の直後の調査で人口二十五万人、つまり虐殺の地になぜかどっと二十五万人もの人が新たに、しかもわずか三か月で集まったことになる。虐殺に走ったはずの日本軍に、中国の人々がよほどの善政を期待したことになる。

中国の主張はどうにも話の整合性がとれないのだ。

この南京の人口の矛盾について、日本の新聞社の中に「二十万人しか居なかったというのは南京城内の安全区だけの人口であり、南京周辺まで入れると百万人は居たから中国の主張に矛盾はない」としきりに主張する社もある。

だが、それなら日本軍の虐殺は広い区域に拡がって行われたことになる。当時の戦況から本当にそんなことが可能だったのか、当然ながら検証されねばならない。

インド訪問、元次官と会談

中国がこうして仮称チャンドラ・ボース・ジャパン大学で困難に直面するとき、韓国はどうするか。別に無視なさっても結構だが、チャイニーズ・マネーも使って反日工作に血道をあげている実態があるから、おそらくは知らん顔を中国も許さない。となると、実際は日本軍に連れていかれたのではなく親に民間業者へ売られた女性たち、いわゆる「従軍慰安婦」なるものの証拠をさらにでっち上げねばならない。

そのとき検証するのは、中韓がどれほど見え透いた嘘をついてもそのまま報じる日本の多数派マスメディアではなく、インドやベトナムなどの研究者だ。共同通信で十九年近く記者を務めたわたしは、敗戦後の日本のマスメディアに「戦争責任があるから」という思い込みが刷り込まれていることを報道機関の内部で痛感していた。

インドやベトナムは戦勝国でも敗戦国でもなく、中立公平の立場から、事実をそのまま研究室やフォーラムのテーブルの上に出すだろう。たとえば韓国は日本と戦争をしたこともなく、戦後アメリカに「連合国だったことにしてくれ。戦勝国だと認めてくれ」と執拗に迫って、すべて断られたという事実も浮かび上がってくる。

こうした取り組みをじっくり進めていくことこそ、フェアな歴史を子々孫々に残していくために不可欠なひとつである。

そしてわたしはこの案を安倍総理や下村文科大臣（当時）に具体的に提案する前にまず、社長を務める独研（独立総合研究所）の自主的な、全く無償の動きとしてインドへ飛び、インドの文科省に当たる人材開発省で次官を務めたスシール・チャンドラ・トリパティという人物に会った。

トリパティさんは、インド政界で拮抗《きっこう》する国民会議派、人民党の双方に影響力を持つ。なぜか。インドの政府高官でトリパティさんのように清潔で公平な立場をとり続けたひと、早い話が賄賂《わいろ》を一切受け取らず、おのれと親族の利害のために権力を行使したりしない人物は稀だからだ。

トリパティさんが籍を置く研究所を首都ニューデリーに訪ねると、トリパティさんは、天皇皇后両陛下がこの研究所に行幸《ぎょうこう》されたときの記念碑に案内してくれた。

そして、チャンドラ・ボース・ジャパン大学の構想を話すと、慎重なトリパティさんが驚いたことに椅子から腰を浮かせ、「すぐに人材開発省の現次官に会いに行こう。その構想は素晴らしい」（英語）と言った。

わたしは「あなたが評価してくれて、ホッとした。帰国してすぐに安倍総理、下村文科大臣に提案する。人材開発省次官に紹介してくださるのは心から、ありがたい。ただ、インド政府に持ちかけるのは、それからです。現段階ではまだ、一民間人の一案に過ぎません」（英語）と応えた。

そしてわたしは日本へトンボ返りして安倍総理、下村文科大臣に伝えた。さらに、わたしのつたない話を毎週水曜日に二十二分も、生放送で述べさせてくれる例外的な報道番組（関西テレビ「スーパーニュース・アンカー」内の「青山のニュースDEズバリ」コーナー。現在は終了）で視聴者、国民に広く提案した。これが西暦二〇一三年五月のことである。

一筋の光が射し始めた

もちろん、事は簡単には進まない。一民間人の提案することが政官学と大企業の癒着した既得権益によっていかに強く拒まれるか、それには、日本が建国以来初めて抱擁する自前資源のメタンハイドレート実用化を提案してからずっと直面してきた。特に官界、学界それぞれの一部が一体となって繰り返す妨害、怠慢、利益誘導、真っ赤な嘘などなどを残念ながら、わたしと独研は知り尽くしている。

メタンハイドレートで申せば、提案だけではなく実際に海に出て実物を二〇〇四年から採掘（試掘）して、投じる私財も無いから無茶な借金も重ねて海洋調査船を借りるなどして現場で戦い、いくらかは前進しつつある。ただし未だに、大きな嘘も官学にまかり通っている。この経験も参考にチャンドラ・ボース・ジャパン大学の実現へ見えざる努力をささやかなりに重ねてきた。

そして西暦二〇一四年後半から一筋の光が射《さ》し始めた。

チャンドラ・ボースの出身地であるインド・ベンガル地方の中心都市コルコタ（旧カルカッタ）でチャンドラ・ボースの功績などをめぐって国際フォーラムを開き、日本からも発表者を招聘《しょうへい》するという話が持ち上がったのだ。背景には下村文科大臣がインドを訪問し、わたしのちいさな提案にも耳を傾けて前述のトリパティ元次官とも会談するなど、日印の学術研究で新たな可能性を模索した事実がある。

このフォーラムは、チャンドラ・ボースの百十八回目の誕生日の二〇一五年一月二十三日に実現した。その日からNetaji Research Bureau（ネタージ研究財団）主宰による国際会議が開かれ、わたしも日本代表のひとりとして文科省派遣で参加した。

発表者はインド、日本、パキスタン、バングラデシュ、中国、アメリカ、イギリスなどの学者であり、所属組織は地元インドの多くの大学、東大、京大、独研、ハーバード大、ロンドンのキングス・カレッジなどであった。インド・ベンガル州政府知事、駐印シンガポール大使らも出席した。

わたしは初日のラストに英語で講演した。和訳で再現してみよう。

ここから講演の再現

わたしの大好きな、尊敬するインドのみなさん、お目にかかれてこころの底から嬉しく思います。

日本とインドというアジアの二大民主主義国家はアジアの自由と成長のために友好関係

を築いてきました。

そして今、より強靱《きょうじん》な連帯を、共通の戦略を持って創ろうとしています。このシンポジウムはそうした気運のなかでインドの地で開かれる、フェアにして有意義な議論の機会であり、わたしは日本政府の文部科学省から派遣されてやって来ました。

どうぞわたしのこの講演をひとつの問題提起として、一緒に考えるために活用して頂ければと思います。

わたしは、日本初の独立系シンクタンクとして創立された民間研究所である「独立総合研究所」の代表取締役社長・兼・首席研究員を務めています。研究者としての専門分野は、外交、安全保障、危機管理、原子力から新資源メタンハイドレートまでのエネルギー、メディア・情報の五分野です。

また、日本で今、一番志願者数の多い大学となっている近畿大学の経済学部で、客員教授として国際関係論を講じています。

同時に、日本政府の公式なアドバイザーをいくつかの分野で、各省庁のために務めています。たとえば安全保障、危機管理、海洋政策、資源エネルギー、マスメディアの各分野です。具体的に申せば、文部科学省の参与、海上保安庁の政策アドバイザー、総務省の消防審議会委員、総務省の「公共放送による海外発信強化の検討会」委員などです。

ただしこうした公職については、報酬をあえて返上しています。民間の自由自在な立場を守って、政府に意見を述べたいからです。

わたしは安倍晋三総理に直接、意見を申し述べることもありますが、それはあくまで個人的意見であり、民間の自由な立場からの意見です。

したがって、今日のこの講演内容も、日本政府の公式な立場を表明するものではなく、わたし個人による問題提起です。

ただ同時に、先ほど述べた安倍総理や各省庁との、利害のない信頼関係を踏まえての意見でもあります。

東南アジアの新しい連携

（講演再現の続き）

さて第一に申しあげたいのは、日本、インド、そしてベトナムをはじめとする東南アジア諸国の新しい連携こそが成長と自由を開くということです。わたしたちアジアの民がいま必要としているのは、まず独裁制や、独裁主義に基づく拡大主義に圧迫されない諸国の自由です。

なぜなら、その自由と民主主義こそが、これから成長する経済分野において諸国相互の利益をもたらす共同開拓に繋がるからです。

たとえばメタンハイドレートを含む新資源産業を勃興させること、新たに輸出型に転換して農業を再生させること、自動運転技術と新素材の活用による自動車産業の新次元の展開を図ることがあります。

インドやベトナムでは、先の不幸な世界大戦において日本の戦いが、欧米列強による植民地支配から自らの民族と国家が独立する運動を助けた肯定面もあるという共通認識があります。具体的には、インド独立運動の英雄、自由インド仮政府の国家主席であったスバス・チャンドラ・ボースさんは、日本軍と連携してインド国民軍を率いて、英国による植民地支配からの解放へ戦いました。

また、日本の敗戦後に東京で開かれた極東国際軍事裁判、いわゆる東京裁判でインド代表のパル判事（ヒンディー語では「ラーダービノード・パール」となりますが、ここではベンガル語による「ラダビノド・パル」と呼びます）が日本の被告は全員、無罪という少数意見を正式に主張しました。その背景には、先の大戦の歴史をフェアに見るインドの姿勢があると考えます。

パル判事は日本びいきで無罪判決を唱えたのではなく、あくまで国際法に客観的に基づいて「日本は一方的な侵略戦争を行ったのではない」という結論を導き、そこから無罪という判断を下したのでした。ここは極めて肝心です。利害や感情、偏見によらず、法の正義だけに従って打ち出した、日本無罪論でありました。

このボースさんとパルさんはいずれも、ここベンガルの出身であり、パルさんは、今このシンポジウムが開かれているコルコタの大学で教授も務めていました。本日の研究会に、天が与えてくださったご縁を感じないわけにいきません。

またベトナムの救国の父、ホーおじさんことホー・チ・ミン初代国家主席は、フランス植民地主義と戦うために日本軍を活用しました。

日本は本来、名誉を重んじる国柄です。わたし自身、古い家に生まれ落ちましたが、「自分のためには刀を抜くな、人のためにはいつでも抜け」という武士道を母から教わって育ちました。

先の大戦における日本の陸海軍には間違いもありましたが、アジアの諸国と民を列強の帝国主義からアジア人の手で解き放つという理念もまた確かに持っていました。

ボースさん、パルさん、ホーおじさんは、その肯定面をしっかりと活かしてくださり、民族自決という永遠の正義をインドやベトナムをはじめとするアジア諸国に打ち立てられたのだと思います。

第二次世界大戦の全体を見ると、もっとも存在感を発揮した勝者は、アメリカ合州国でありました。したがってＵＮ（ＵＮＩＴＥＤ　ＮＡＴＩＯＮＳ／日本では国連と訳している。実際は、戦後の連合国）もアメリカのニューヨークに本部を置き、冷戦中も冷戦終結後も、アメリカ主導の世界秩序が続いてきました。

しかしイラク戦争、アフガン戦争のいずれにおいてもアメリカ軍がテロリストには勝てずに完全撤退したことによって、世界は戦後七十周年（註・講演の当時）を迎えた今、新しい秩序を求めています。アメリカについても、自由と民主主義を建国以来追求し続けているという肯定面をむしろ今、活かすためにも、アジアはアジアの自由と民主主義を追求し、自立した世界観と歴史観を打ち立てて、アメリカや欧州ともフェアな連携を築くことが有効となります。

日本がインドやベトナムと歴史についても新しく共同研究を始めることは、世界とアジアのニーズに合致するものです。

従ってわたしは、ここインドの地に、たとえば新しい大学を日本の支援によって創建することを安倍総理と下村文科大臣に提案しています。

その仮の名称を「チャンドラ・ボース・ジャパン大学」とします。

この「チャンドラ・ボース・ジャパン大学」には、以下のような学部を設けることを想定します。

アジアの歴史研究を主軸とする「歴史学部」、日印連携をはじめアジアの自由と民主主義に基づく新しい政治経済の秩序を模索する「新アジア創世学部」、日印の技術連携をはじめアジアの科学研究および技術力の向上を図る「新技術学部」、日印の医学連携をはじめアジアの医療新体制の包括的な構築を目指す「アジア医療看護学部」、日印の農業連携をはじめアジアの農林漁業や造園産業などの振興を担《にな》う「アジア新農業学部」などです。

大学本部はインドに置きます。チャンドラ・ボースさんの生地であるベンガル州の古都カタク（現在のオリッサ州カタク県）、あるいはチャンドラ・ボースさんが大学を出たコルカタ、さらに首都ニューデリーが候補になると考えます。分校を、日本や、チャンドラ・ボースさんがケンブリッジ大学に留学したイギリスに置くこともあり得ると思います。

「歴史学部」では、戦勝国側だけからの史観に支配されることなく、戦勝国でも敗戦国でもないインドやベトナムといった中立の諸国の研究者によるアジア史研究に、日本の研究者が加わり、新しい公平な視点を世界に提供することを目指します。

インドは、国立の「盆栽公園」をニューデリーに持つ国です。盆栽は日本文化の大切な象徴のひとつです。「チャンドラ・ボース・ジャパン大学」の「アジア新農業学部」には、枯山水《かれさんすい》の日本庭園、盆栽の庭などを、研究施設と憩《いこ》いの施設を兼ねるものとして整備することが想定されます。

わたしは二〇一三年五月に、ニューデリーの「インド国際センター」で人的資源開発省のトリパティ元次官に会い、これを提案しました。

下村文科相にこのことを伝えたところ、下村文科相はインドを訪問され、このトリパティ元次官にも会われて協議されました。現在の下村文科相の考えは「まずは既存の大学に、研究所か学部を新設したりするところから始めたい」ということだと、わたしは理解しています。

キーワードは「新思考」

（講演再現の続き）

しかし、日本にとって久方ぶりの安定政権である安倍政権、現在は二〇一四年十二月の総選挙の勝利を経て第三次安倍内閣となっている現政権には、これまでにない強い、積極姿勢があるのは事実です。

下村文科相からは次のようなお話がわたしにありました。

「第一次安倍政権の際に、安倍総理と私（下村文科相）はチャンドラ・ボースさんの学んだコルコタ大学を訪ねた。場合によっては、コルコタ大学に、チャンドラ・ボース・ジャパン研究所といった施設を創ることから始める方が早いかもしれない」

こうした計画を進めるためのひとつのキーワードは「新思考」です。

かつてソ連のゴルバチョフさんが打ち出し、冷戦終結に繋がった「新思考」。要は発想を転換することです。

トリパティ元次官はこう指摘されました。「ここ二十年間、日本とインドの経済協力は実際はさして進んでいない。日本は中国にばかり投資してきた」

わたしがそれを認めると、こう続けられたのです。「インドは、たとえば中国との付き合い方を長年にわたって、学んできた。これまでにないインドと日本の共同研究が始まれば、そうしたノウハウを共有できる。それが日本の対印投資の拡充にもきっと繋がるだろう」

わたしはこれに深く共感します。

そして、こうした経済の共同歩調のいわば背骨として、文化があります。日本の神道という宗教の教える伝統的な神々は、インドの神々と共通点があります。

日本の神道は、欧米人の信じる一神教ではなく、この講演会場の中の万物にも、会場の外の木や草にも神や仏が宿るという考え方です。宗教というよりは、日本人の自然観、人生観、あるいは生きる基本姿勢のようなことです。

これをトリパティ元次官にもお話ししましたら「インドの神々も、いろいろな説はあるけれども、同じような考え方です」と言われました。

歴史から経済政策、文化までを包括する新しいアジアの連携研究が始まれば、文化についてもこれまでにない視点を提供するでしょう。

日本語は、日本でしか使われない言語です。それもあって日本文化は世界で孤立した、普遍性のない文化だと思われがちです。

しかし、これは思い込みです。「日本文化はインド文化をはじめアジアの文化とどのような親和性を持ち、世界へのいかなる普遍性を持つか」というテーゼを、これまでにない視点で考えるために例として江戸中期、一七一六年に侍によって書かれた書である「葉《は》隠《がくれ》」を考えてみましょう。

葉隠の真意

（講演再現の続き）

葉隠は現在の日本では、武士道精神の根幹を示す書として極めて有名です。ところが実際に書かれた江戸時代、すなわち侍の時代には「禁書」とされて、著者の侍自身によって焼かれたのです。

わたしの父と母も「葉隠は読んではならぬ」と子供時代のわたしに禁じました。わたしは家を出て、大学に通うとすぐに葉隠を読みましたが、なぜ禁書なのか分かりませんでした。そして長年、考え続けた末に、ひとりの研究者として分かったことがあるのです。

それは、葉隠にある、有名な次の一節です。

〈武士道といふは、死ぬ事と見付けたり。〉

この部分を戦前の日本の軍部は教科書にして小学生に配り、戦場で死ぬことを理想とするよう求めました。葉隠の真意は違います。

ここには重大な言葉が省かれているのです。「死ぬ事」の前に、「誰のために」が省かれています。侍の本来の世界では、ここに「君主のために」が必ず入っていなければなりません。すなわち「君主のために死ぬこと」が武士道のはずなのです。

ところが葉隠はあえて、それを入れなかった。なぜか。「君主でなくてもいい。自分以外の他の誰かのために死ぬことが、武士道だ」という考えがあったからです。

この一節は、死ぬことを語っているのではなく、「生きよ。人のために生きよ」と言っているのです。「もしも自分のことばかり考えて生きていれば、どれほどうまくやっても、あるいは栄達しても、やがて必ず死ぬのだから人生はつまらない、空しい。しかし、自分以外の人のために生きるのなら、命が次に繋がっていくのだから、空しくない。生きよ、人のために生きよ」。それが日本の武士道のほんとうの根幹精神です。

わたしの母は、武家の娘であると同時にキリスト教徒です。日本にはキリスト教徒の武家は特に西日本に多いのです。

わたしはキリスト教徒ではなく特定の宗教には一切、帰依《きえ》していませんが、母のおかげで子供の頃から聖書にも馴染《なじ》んで育ちました。

聖書に次の一節があります。

〈誠にまことに汝らに告ぐ。一粒の麦、地に墜ちて死なずば、ただ一粒にてあらん。もし死なば、多くの実を結ぶべし。〉

この意味するところは、人間は誰しも一粒の麦に過ぎない。自分だけは死にたくないと生きていれば、ただ一粒の孤独が永遠に続くだけだ。むしろ死ぬことによってこそ、次の命に繋がり、空しさから救われるのだということです。

イエス・キリストは、わたしたちのために、ひとのためにすべてを背負って磔《はりつけ》になられました。それが人のこころを打ち、世界でもっとも普遍的な信仰、あるいは哲学、理念になっています。

その生き方と、葉隠の生き方は見事に重なります。すなわち日本文化の根幹は豊かな普遍性を持っているのです。

日本国民自らが、おのれを分からず、先の大戦での敗戦にも閉じこもり、この普遍性を見失ってきました。インドをはじめとするアジア諸国との歴史を含む新たな共同研究は、この日本文化の潜在力をも、世界のために発揮できるよう後押しをしてくれるでしょう。

その例を、具体的な経済について述べてわたしの講演を終わりたいと思います。

希望の時代をアジアに

（講演再現の続き）

わたしの研究者としての活動は、社会科学、人文科学、そして自然科学の分野にまたがっています。

わたしと独立総合研究所は、二〇〇四年から新資源メタンハイドレートのうち、もっとも利用しやすいタイプ、すなわち表層型といわれ、純度のきわめて高い真っ白な塊が海底の上に露出もしているタイプを日本海で実際に試掘に成功してきました。

日本政府は二〇一四年十二月、「メタンハイドレートを日本海で初めて発見した」と発表しましたが、これは「政府としては初めて」という意味です。わたしたち民間はその十年前から取り出しに成功し、政府にもこの成果を無償で示していますから、今回の政府発表は日本の官民が連携して、メタンハイドレートを実用化する時代が始まったという意味でもあります。

わたしたちは、この発見によって特許を持っています。日本だけではなくアメリカ、オーストラリア、ＥＵ全加盟国、中国、韓国、ロシアの特許も持っています（註・現在はＥＵ非加盟のノルウェーでも特許取得）。ところが一ドルの特許使用料も取りません。先ほど述べた日本の根幹精神、「自分のためではなく人のために生きる」という生き方を実践するためです。

わたしたちが世界で初めて発見した表層型メタンハイドレートは、大きな特徴を二つ持っています。

メタンハイドレートは要は海底などで凍った天然ガスです。その粒々はガスの塊で軽いですから、柱のように海底から立ち上がっています。これをメタンプルームと、わたしたちは学術論文で名付けて、国際学会、たとえばＡＧＵ（アメリカ地球物理学連合）で発表してきました。

このメタンプルームは、海面近くになると水圧が減り、太陽光が届いて暖められ、姿を消して海水に溶けます。溶けたメタンの一部は、海面から蒸発します。メタンガスの地球温暖化効果は、二酸化炭素の実に二十倍から二十五倍です。つまり自然状態で、大きく地球温暖化を進めてしまっているのです。これを人類が取りだし、燃やして使えば、地球温暖化効果はこの局面での単純計算では二十分の一から二十五分の一以下に抑えられるわけです。

人類が使って燃やした方が、地球温暖化を抑制できる埋蔵資源があるというのは、世界の地球科学者を驚かせました。世界最大にして最高権威の地球物理学会であるＡＧＵ（アメリカ地球物理学連合）で大きな反響を呼んだのです。

さらに、このメタンプルームは海底のクレーターのようなところ、わたしたちが論文ではポックマークと呼んでいるところから立ち上がっています。日々、消えては新しく立ち上がります。人類がメタンハイドレートを活用しても同じ事です。

すなわち使っても使っても地球が新たに供給してくれる可能性のある埋蔵資源が存在する、地球もいつかは終焉《しゅうえん》を迎えますから永遠ではないにしても、地球内部の活動が今のように続くなら、この資源も供給され続ける可能性があるという新事実も、ＡＧＵに集うた世界の地球物理学者たちを驚かせたのです。

わたしが六年ほど前にシリアを訪れたとき、陸軍の将軍がこう言いました。「シリアはほんとうはもう油を採り尽くしてしまった。まだある振りをして、備蓄分から細々と売っている。しかしいずれ、もう採り尽くしたと分かったら、アサド大統領からの分け前がなくなって内戦になり、子供たちも殺されるだろう」

その通りになっているのが、現在のシリアの無残な長期な内戦です。アラブの春と言われる現象の正体のひとつがこれです。在来型の天然ガスや油はもう採り尽くす時代に入りつつあるのです。

先のふたつの特徴を持ったメタンハイドレートを日本が実用化するとき、かつての戦勝国であるアメリカのように、資源を通じて世界を支配しようとは日本は決してしません。戦勝国が資源エネルギーも通じて世界を支配する時代は、もはや終わりです。

日本は何をするか。インドやベトナムの海にも、このメタンハイドレートが存在しています。わたしたちの特許技術もどうぞ無償で使ってください。共同研究をしましょう。共に、海底から希望を見つけましょう。

歴史から新たにフェアに学びつつ政治、経済、文化を包摂《ほうせつ》していく、まっさらな希望の時代をアジアに創りましょう。


（講演の再現、ここまで。ただし実際の講演はすべて英語で行った）

講演の途中からわたしは、会場の変化を目《ま》の当たりにした。それまで各国代表が次々と演壇で熱弁をふるっても、研究者に一般市民が加わった聴衆は淡々と静かに聴いていた。ところが、まず大波のような拍手が起きた。最初は遠慮がちに数人が手を叩いた。専門学会のような雰囲気に遠慮したのだろう。それが次第にたくさんの拍手になり、拍手が静まると、涙を流しているひとがまず市民の中にみえ、そして世界の一流大学から来ている学者のなかにも涙をぬぐうひとが何人もみえた。

わたしは講演しつつ、胸のうちで一驚した。これまでメタンハイドレートの研究開発や、あるいはテロ対策・危機管理をめぐって国際学会で発表したことは幾度もある。しかしこんな経験は一度も無い。

すなわち、わたしの話が良かったということではなく、講演の中に盛り込んだ日本の何かが聴衆を揺り動かしたのだ。

特に、「日本の本来の精神は葉隠にあるように、自分以外の誰かのためには死ぬこともできるほどに生きよ、おのれのためではなく他者のために生きよ、死ね、ではなく生きよという精神です。だからこそ日本はインドやベトナムをはじめアジア諸国と新しい協力を築いていきたい」という趣旨を話しているときに、拍手と涙する姿が多かった。

そして講演を終わり、演壇から降りようとすると会場からどっと人が押し寄せてきて、インド人、バングラデシュ人、パキスタン人、アメリカ人、イギリス人それらの人々が、わーっとわたしの手を握り、肩を抱き、「日本はそういうことを考えられる国なのか、じゃあ一緒にやろう」と口々に言うのだった。

動き、発するとき

他の発表のなかでは、たとえばニューヨークの大学に在籍し、またインドに新設されたナーランダー大学にも籍を置く中国人学者が「チベットは本来、中国の一部である」と強調した。彼はその後の懇親会で、「私は中国人のコミュニティを、ここベンガル地方に作る運動をしている。理解してくれ。資金なら豊富にある。協力してくれるならカネを提供できる」と、しきりに訴えて回っていた。

中国は素早くこちらの動きも察知したかのように、親日の英雄チャンドラ・ボースの地元に手を伸ばしている。

長中短、いずれの視点であっても、動くときは疾風のごとく動かねばならない。じっくり長期にわたって腰を据える戦略であっても、スピードが実は肝心なのだ。

日本の危機にあって、アジアで唯一、列強に侵《おか》されない国にした英雄のひとりが高杉晋作だ。晋作さんは、わずか満二十七歳で死したその墓碑銘のために、伊藤博文公からこの有名な言葉を贈られている。

「動けば雷電の如く、発すれば風雨の如し」

いま祖国に求められている生きる姿勢のひとつがこれである。

あくまでも「動けば、発すれば」であって、ふだんはにこにことしておれば良い。だが子々孫々の名誉が穢《けが》されていく今は動き、発するときである。誰がそうするのか。安倍総理か、下村文科大臣か。いや、総理、閣僚といえども代理人に過ぎない。日本国の唯一の主人公、われら民がまず、動き、発して、チャンドラ・ボース・ジャパン大学創設を実現していくことを、ここにささやかに提案する。

官邸や文科省にＨＰから意見メールを送るだけでも実は大きな意味がある。やれることからさらり、やりませんか？

ここまで記した動き、チャンドラ・ボース・ジャパン大学を創建するための動きに、安倍晋三総理、下村文科大臣のもとでわたしは力を尽くした。

下村文科大臣は関心を持ってくださったが、安倍総理は「青山さん、いい話だよね。いい話だけどさ、まだ機が熟していないよ」という姿勢が、再登板後の総理を退任するまで変わることが無かった。

インドと日本、そしてアジア全体に跨《また》がるこの新大学構想は、日本の総理大臣みずからが信念を持ち、文科大臣をはじめ各所掌を動かさないと不可能である。

安倍さんを喪い、五観を持たざる政権となったいま、わたしは改めて考えている。

みずから、五観を持つ政権を樹立すべく、新しい動きに取り組む以外にはない。

チャンドラ・ボース・ジャパン大学は、その新政権のもとで初めて復権する構想である。

三の章

天皇陛下の語られる勅語をめぐって

今上《きんじょう》陛下（当時。現・上皇陛下）が平成二十七年（西暦二〇一五年）、新年のご感想のなかで「満洲事変に始まる戦争の歴史を十分に学び、今後の日本のあり方を考えていくことが今、極めて大切なことだと思っています」と仰ったことについて「集団的自衛権の行使容認などを進める安倍政権への牽制《けんせい》だ」と解釈する言説がある。

さらに皇太子殿下（当時。現・今上陛下）がこの年の二月、ご生誕の日に際しての記者会見で「戦争の惨禍を再び繰り返すことのないよう過去の歴史に対する認識を深め、平和を愛する心を育《はぐく》んでいくことが大切ではないかと思います」と述べられたことと重ねて「天皇家は安倍総理に批判的だ」と強調する向きもある。

これらは、敗戦後の日本社会でずっと多数派を占めている自称リベラル派が、いかに不勉強であるかの証明である。それだけではなく、言説がどれほど都合よく作りあげられるかの典型例でもある。

陛下が政治的意図を持って発言されることなど、あり得ない。

これは、筆者の勝手な忖度《そんたく》ではない。憲法四条の〈天皇は、この憲法に定める国事に関する行為のみを行ひ、国政に関する機能を有しない。〉という「天皇は政治に関与せず」

の定めを今上陛下がいかに大切にされてきたかは、万人の知るところだ。

しかし日本のマスメディアの多数派、すなわち芸能人、タレント化した作家、あるいは評論家、学者に至るまで「わざわざ満洲事変に始まる……とまで発言されているのだから今回は違う」と言う。

呆れるほかない。これまで実は天皇陛下の勅語（ご発言）に関心など持っていなかった証拠である。陛下が「満洲事変」といった具体的なキーワードを含めて戦争を語られたのは、これが初めてどころか、何度もある。

それも今回が一番あっさりと語られていて、過去はこの比ではない。

たとえば平成十五年、西暦二〇〇三年の天皇陛下（当時。現・上皇陛下）のお誕生日（十二月二十三日）に際しての記者会見（同年十二月十八日）では、こう語られている。

長い勅語（ご発言）だが、だからこそ、そのままに紹介しよう。

「昭和の十五年間は誠に厳しい期間でした。日本はこの期間ほとんど断続的に中国と戦闘状態にありました。済南《さいなん》事件、張作霖《ちようさくりん》爆殺事件、満洲事変、上海事件、そして昭和十二年から二十年まで継続する戦争がありました。さらに昭和十四年にはソビエト連邦軍との間にノモンハン事件が起こり、多くの犠牲者が出ました。

国内では五・一五事件や二・二六事件があり、また、五・一五事件により、短期間ではありましたが、大正年間から続いていた政党内閣も終わりを告げました。この十五年間に首相、前首相、元首相、合わせて四人の命が奪われるという時代でした。

その陰には、厳しい経済状況下での国民生活、冷害に苦しむ農村の姿がありました。そして戦死者の数も増えていきました。皇太子時代に第一次世界大戦のヴェルダンの戦場の跡を訪ねられ、平和の大切さを強く感じられた昭和天皇がどのような気持ちでこの時期を過ごしていらっしゃったのかと時々思うことがあります。

私どもは皆でこのような過去の歴史を十分に理解し、世界の平和と人々の安寧《あんねい》のために努めていかなければならないと思います。

皇族はそれぞれの立場で良識を持って国や人々のために力を尽くしていくことが大切と思います」

誠に不本意な歴史

さらに上皇陛下は、天皇陛下としてのご即位二十年に際し平成二十一年十一月六日には在日外国報道協会の代表質問に、こう答えられた。

「私がむしろ心配なのは、次第に過去の歴史が忘れられていくのではないかということです。昭和の時代は、非常に厳しい状況の下で始まりました。昭和三年、一九二八年、昭和天皇の即位の礼が行われる前に起こったのが、張作霖爆殺事件でしたし、三年後には満洲事変が起こり、先の大戦に至るまでの道のりが始まりました。

第一次世界大戦のヴェルダンの古戦場を訪れ、戦場の悲惨な光景に接して平和の大切さを肝に銘じられた昭和天皇にとって誠に不本意な歴史であったのではないかと察しております。昭和六十有余年は私どもに様々な教訓を与えてくれます。過去の歴史的事実を十分に知って未来に備えることが大切と思います」

ご発言はいずれも、公式記録によって正確に再現した。さぁ、どうだろうか。安倍政権下の今回のご発言が、特別だろうか。それどころか過去二回の方がよっぽど具体的、詳細に危機感を表されている。

陛下の勅語を利用

平成十五年の当時が自由民主党の小泉純一郎内閣、そして平成二十一年当時は民主党の鳩山由紀夫内閣である。

これは、前章で記したケースと同じことだ。安倍総理が国会で「侵略戦争の定義は定まっていない」と発言すると、まず日本のマスメディアが「大問題になる」と一斉に報じ、中韓がそれをロビー活動に利用し、アメリカの主要メディアが「安倍総理は歴史の修正を図っている」と断じて、今に至っている。

ところが同じことを社会党の村山富市総理、民主党の玄葉光一郎外相も政府の統一見解として語っていたのだった。前述の通りだ。

今上陛下（当時。現・上皇陛下）の年頭の勅語はむしろ、安倍政権への批判という政治色があると誤認されることを警戒されて、発言を過去より簡素にされている気配すらある。

マスメディアの多くの芸人、芸人化した作家、それに学者らの〝テレビタレント〟は、天皇陛下の叡慮《えいりょ》とは逆に、ここぞとばかりに陛下の勅語を利用している。過去に見過ごしてきたことを、安倍政権下ではことさら問題として、でっち上げるのである。

ただただ民のために平和を痛切に願われる大御心《おおみこころ》と比して、どれほどに、いやらしい生き方であろうか。

また保守派の一部に「陛下のご発言の真意は何だろう」と動揺がみられたことも、どうしたことか。

天皇陛下は憲法を擁護される。それは憲法が改正されれば、その改正憲法を擁護されるということであり、現憲法もそれが憲法である限り常に擁護される。そして現憲法はその九六条に、改憲の手続きを明記している。その条項を含めて擁護されると考えるほかない。そこだけ擁護されないということがあり得ますか？　したがって安倍政権が改憲内閣であることと何ら矛盾しない。

この基本が充分に分かっていないから、おかしな動揺も一部に出る。

「米英の民主主義とは戦うな。ヒトラーやムッソリーニのような成り上がりの独裁主義とは組むな。日本は、民主主義の立憲君主国であるから」という昭和天皇のご真意に反して日米戦争に走った過誤《かご》を思い起こさせる。

大袈裟ではない。深い病根が共通している。

こころ静かに語られる

わたしたちの陛下はいつも、昭和天皇であれ上皇陛下であれ今上陛下であれ、こころ静かに語られる。われら民も、静かにお聞きして考えてはどうだろうか。

上皇陛下は戦時下に、皇太子殿下として疎開もなさっていた。昭和天皇とともに、御自《おんみずか》ら民をこそ第一となさる陛下でいらっしゃるから、国民をアメリカの爆撃機の下に残したままの疎開で、ほんとうはどれほど胸をお痛めになっただろうか。

そして、キリストの生誕より遙か古くから歴史を持つ日本国が、初めての、ただ一度の敗戦を迎える瞬間も体験なさった。

そのために、次の世の第百二十六代天皇陛下は戦争をご存じない世代となることに、天皇陛下として在位されていた時代から深く思いを致されてのご発言であろう。すなわち、やがて御代《みよ》が新しくなる定めであることを透徹《とうてつ》されて、むしろ百二十六代天皇陛下に向けて「あなたが戦争をご存じないことをゆめ、忘れないように」というご真意ではないだろうか。

当時の皇太子殿下もそれを正確に受け止められ、だからこそ、ご生誕の日に前掲のように語られたのだろう。

であるから皇太子殿下（当時。現・今上陛下）は、このようにも仰っている。

「私自身、戦後生まれであり、戦争を体験しておりませんが、戦争の記憶が薄れようとしている今日、謙虚に過去を振り返るとともに、戦争を体験した世代から戦争を知らない世代に、悲惨な体験や日本がたどった歴史が正しく伝えられていくことが大切であると考えています。

両陛下からは、愛子も先の大戦について直接お話を聞かせていただいておりますし、私も両陛下から伺ったことや自分自身が知っていることについて愛子に話をしております」

この陛下と殿下のご真意については、筆者の推測に過ぎない。しかし、こうしたお気持ちが伝わると考える国民もまた少なくないだろう。現状の日本社会では、愚かな論者がメディアに現れて愚論を垂れ、賢い国民が辟易《へきえき》しつつそれを日々、頭ごなしに聴かされている。

陛下の勅語を集団的自衛権うんぬんと結びつけるのは、前述したとおり、まごうことなき天皇陛下の政治利用である。しかも腰が引けていて、天皇陛下と戦争の歴史についてきちんと踏み込むことはない。ふだん陛下のご存在に無関心なことなど自ら忘れているようでいて、内心で、「天皇について本当は良く知らない。それがテレビ画面で、ばれては困る」と恐れてもいる。

だから、ふだん使わない敬語を今回に限り無理に、そして中途半端に使ってしどろもどろになり、ボロが出たりしている。

わたしは共同通信の記者時代に、ふだんの記者たちが天皇陛下について、どれほど乱暴な言葉を使っているかを見聞きしてきた。そして原稿を書くときには、共同通信の出している隠れたベストセラーである「記者ハンドブック」の「皇室への敬語の使い方」という趣旨の項目を見ながら書いていく。そこには「二重敬語を使うな」といった原則が示されているのだが、これが実は間違った原則である。

保身によって姿勢を変えない

たとえばＮＨＫや民放のテレビニュースで「天皇陛下が行き」などという奇怪な表現が出てくるのは、この影響もある。「陛下」は敬語の一種であり、それが先に出てくると「行かれ」といった敬語は使えないと思い込んでいる。これは二重敬語を避けているのではなく敬語の使い方が一貫していない間違った日本語になっているだけだ。

わたしは記者時代、このことにも疑問を感じたが、もっと嫌悪《けんお》したのは、裏では不遜《ふそん》な言葉を皇室に対して仲間内の諒解《りょうかい》で好き勝手に使いながら、表に出す記事では、ひたすら左右から文句を言われないように腐心《ふしん》して半端な敬語を使う、その卑屈な精神であった。

わたしはペルー日本大使公邸人質事件を契機に、共同通信を辞めたと言うより記者であることを辞めたが、成りたくて成った記者という仕事には、降り積もる雪のように次第に分厚くなっていく生き方としての疑問もまたあったのだった。

保身によって姿勢を変えない。それは、いつの時代でもいちばん肝心な哲学である。

敗戦後の日本社会の予定調和

それにしても天皇陛下と戦争の関わりについてマスメディアは基本的に理解が浅い。

わりあい最近に参加した衛星放送（ＢＳ）のテレビ番組で、「昭和天皇の降伏の判断が遅れたから沖縄戦になった、沖縄県民が昭和天皇に怒りを持つのは当然だ」というＶＴＲが流された。生放送で、こうしたＶＴＲが放送中にあるということは知らされていなかった。

わたしは、次の趣旨を発言した。

「明治憲法に、天皇は陸海軍を統帥す、という定めがありますが、この統帥権は指揮権ではない。もしも具体的な指揮権が天皇陛下にあったならば、昭和天皇が日米戦争に賛成されていなかったなかで、日米開戦となるはずもありませんでした。開戦を、その大御心に反してお止めになれなかった陛下が、終戦だけ権限をお持ちになるということはない。原爆まで落とされて、軍部の発言権がほぼ完全に失われた状況になって初めて、陛下の終戦へのご意思が実現したのです。先ほどのＶＴＲは事実に反します」

そのときゲストで来られていたベテランの皇室記者が「そうですね。そういう考え方がむしろ主流ですね」と公平に発言し、そのためか、同席していたタレント女性作家や人権派（？）弁護士は何も言わなかった。

この前者はかつて関西テレビのメイク室で〝メイクさん〟たちがいるなか、わたしに「いろいろ教えてください。知ってる振りしてテレビに出ているので、それがばれそうで怖くて」と話した。その率直さに好感を持っていると、ある日を境に突然、自称リベラル風の発言が増えた。

ディレクターによると「事務所が変わって、左巻きで有名な人が付いたから、発言もすっかり変わったのです」ということだった。わたしは芸能プロダクションと一切、関係を持たない。この作家が以前から「事務所に属している」と誇らしげに言うのが不可思議だったが、事務所、すなわち芸能プロダクションはこのようにしてタレントを作り、支えるのだと分かった。

そのひとの生き方はそのひとが決めるのであり、わたしは干渉しない。

しかし、このときのＢＳ番組の最後に今上陛下の年頭の勅語について、この稿で指摘したとおりの風潮に合わせて「天皇陛下の発言に感激した」と、あたかも陛下が政権批判をなさったかのような趣旨を匂わせた。これが間違いであることは指摘せねばならない。しかし、わたしに発言の時間はもはやなく生放送が終わった。このすべてが現在の日本社会の予定調和なのである。

それは敗戦後の日本社会の予定調和と言ってもよい。芸能プロダクションとテレビ界は徹底的に癒着している。そのような癒着は、マスメディアだけではなく巨大な既得権益を形成して政官財界まで繋がり、わたしたちの祖国をすっぽり覆《おお》っている。

個人攻撃をしても、それは士道に反するだけではなく、意味を成さない。わたし自身を含めた世の構造をこそ問うべきである。

たとえば諸国におけるリベラルとは、自由と人権のためにみずから銃を持ってでも戦う人々を指している。日本の自称リベラルとはいったい何者なのか。その安穏《あんのん》とした奇妙な存在を許してきたのが、もう一度言う、わたし自身をも含めた敗戦後の日本社会なのだ。

天皇陛下も上皇陛下も人間でいらっしゃるから、その静けくも毅然《きぜん》とされたお姿は、わたしたち日本の民が築いてきた文化である。もはや右も左もなく、その原点を共に考えたい。

四の章

祖国の沖縄　その一

ぼくらの沖縄について語ろう。語らねばならないときが満ちた。

沖縄を語るとは、敗戦から七十年余の祖国の根本を考えることだ。一度で語れるとは思わない。始める以上は、この書の何章かを費やしていく。

世は今、沖縄と言えば普天間問題、ほぼこれだけである。

この様相そのものが、敗戦後日本の多数派マスメディアのいつも繰り返してきたミスリードだ。

沖縄は全県、普天間をめぐる鬱屈《うっくつ》した紛糾《ふんきゅう》の一色であり、県民はことごとく安倍政権をはじめ政府に憤《いきどお》っていて、もはや琉球独立論が沖縄の島々を覆《おお》っている……国民がまともに報道に関心を持っていればいるほど、そのように印象づけられてしまう。

光のあふれる沖縄はもちろん基地問題だけではないし、アメリカ海兵隊の普天間基地が一日も早く移設され、それが辺野古であっても実現してほしいと声をひそめてわたしに語る沖縄県民は少なくない。

琉球独立論を主張する本は、はるか昔から那覇の書店に行けば必ず、目立つように平積みにされているが、買い求める沖縄県民は今も昔も多くない。知事を二期務めた仲井眞弘多《なかいまひろかず》さんは在任当時、知事応接室でわたしに「独立論はあくまでロマンのような、学者さんらが好む話。現実にそうしたいと願っている県民はいない」と語った。

沖縄県民はかつて、「祖国復帰運動」に力を尽くした。祖国という言葉が右翼用語のように扱われてきた敗戦後の日本で、幼かったわたし自身、祖国という言葉を知ったのはこの運動のおかげだった。

仲井眞さんはまた同じ知事応接室で、「中国は尖閣諸島だけで我慢はしない。必ず沖縄本島にまで手を伸ばしてくる。文化面の工作としてはもう伸ばしていますよ」とも語り、琉球独立論を今は中国が利用しているという懸念を強く示唆《しさ》した。

こうしたリアリティは、マスメディアによって徹底的に消されている。

そして仲井眞知事が在任当時にまさしく深く憂慮していた重大事、沖縄県石垣市の尖閣諸島に中国が公船を侵入させ続けている事実も、どこかへ消えたようになっている。

このさなかに翁長雄志《おながたけし》沖縄県知事（当時）が、親中派の頭目である河野洋平元衆院議長閣下と訪中した。河野さんは、その後の玉城《たまき》デニー知事とも訪中した。

中国は、尖閣をめぐる強硬派として知れ渡っている李克強首相（当時）を出してきて「異例の厚遇」として翁長知事に会わせ、翁長知事は「福建省と沖縄に定期航空便を飛ばしてください」と頭を下げてお願いした。

李首相は鷹揚《おうよう》に笑顔を返し「中日両国の地方政府の交流を支持する」と述べた。具体的には答えず、「今後の沖縄県の姿勢次第だよ。中央の安倍政権の方針には拘《こだわ》らずに、やればどうか」と水を向けたに等しい。

県内の尖閣諸島について翁長知事は一言も触れることがなかった。

その後の玉城知事もまた、現在の李強首相に対し、ただのひとことも尖閣諸島への不法侵入について触れなかった。

玉城知事は一方で、李強首相に、中国製の武漢熱で停止した中国―沖縄のフライトを復活するよう懇願した。翁長知事とまるで同じだ。

翁長、玉城と続く沖縄県知事が沖縄を売るかのような行為はいずれも、河野元衆院議長が演出したのである。

尖閣諸島に領土問題は存在しないという日本政府の公正な立場を翁長知事も、李首相も理解してのことであれば結構な話だが、現実にはその逆、日本の領海である尖閣諸島の海に中国の共産党と政府が送り出した公船が入ってもはや当然のこと、話すまでもないと言わんばかりである。

しかも李首相だけは「沖縄県がちゃんと中央政府、安倍内閣と喧嘩してくれれば悪いようにはしない」というニュアンスを匂わせている。

奇怪な光景である。しかしマスメディアはその奇怪さに何も触れない。

異例の「公式発表」

一方で、「いま辺野古の海の埋め立てをめぐって激しく紛糾しているからニュースにしているのであって、尖閣でも大きな動きがあればニュースにする」と反論する声がマスメディア内部から聞こえる。わたしの古巣の共同通信からも実際に聴いている。

わたしはこう応えた。

「ほんとうは普天間が問題になればなるほど、たとえば尖閣諸島の護り、抑止力と一体でど真ん中から賛否を論じ、報じるべきだ。ここで一体に報道しなければ、いつやる、いつ本来の使命を果たすのか」

一体に報じるとは真逆にそこを切り離して、本土から駆けつけた職業的運動家をどっさり含めた反対行動と海上保安官が洋上でぶつかる場面だけが刹那的《せつなてき》にクローズアップされている。これはもはや報道ではなくプロパガンダ（政治的宣伝工作）への加担である。

さらに核心は国家と地域の安全保障のこれからであり、官房長官と県知事の鞘当《さやあ》てでもない。

この訪中とも実質的には関連して、官房長官の菅さん（当時）と翁長さんとの初会談が那覇で行われた。しかし、「粛々と（辺野古移設を進める）……という言葉を官房長官はもう使わない」という結果しか残さなかった。

会談の表舞台を伝えた報道は、ほとんど意味がない。裏舞台というより、両者の本音をあえて忖度《そんたく》という言葉の正しい意味、すなわち他人の気持ちを推し測ることを交えて表現してみると、こうだ。

菅さん「あなたは自民党の沖縄県連幹事長まで務めて、その自民党時代にずっと長く、辺野古移設を進めてきたではないか。ほんとうは知事になりたいがために、沖縄の地元紙をはじめ声の大きなところに追従《ついじゅう》して反対に回ったのじゃないだろうか。そこが許せないから、官房長官の私も安倍総理もあなたに会わないできた。そろそろ互いに、何かの妥協点や歩み寄りを見出さないと、長年の沖縄政策が壊れてしまう」

翁長さん「そうやって私を見くだすことをまずやめないと、話にならない。いつまでこの私を、自民党の一地方県連の幹事長とみているんだ。私は知事選で圧勝して、今は沖縄県知事だ。そもそも辺野古への移設は無理筋なんだよ。すでに地元の名護市長も反対派に替わったじゃないか。私はその現実を冷静に見ているのであって、追従してるんじゃない。私を見直せ。知事として丁重に扱え。そこからあなたも総理も出直せ」

この会話は、ふたりが眼で伝え合った会話であって、実際にこのように口に出したのではない。しかし苦労人の菅さんは、この翁長さんの真意がよく分かった。

だからこそ、「粛々という言葉は上から目線だと知事が仰ったので、もう使いません」という異例の「公式発表」をしたのだった。

安倍総理（当時）は当初、この機微《きび》を充分には菅さんから伝えられていなかったから、国会答弁で「粛々と進める」とその後も述べた。直後に、菅さんから「翁長さんは、俺を知事として尊重しろというわけです」と聞き、「私ももう粛々と、という言葉は使わない」という答弁に転じた。安倍さんがわたしに語った、ほんとうの経緯だ。

安倍総理はさらに、翁長知事との初会談にも踏み切った。何かの裏合意ができたのではない。あくまで知事として扱ってあげますね、と慰撫《いぶ》するためだ。

普天間問題の本質

ひとりの物書きとして、日本の政治家や役人がふだんからしきりに「粛々と」と口にする傾向は良くないと考えている。異論反論をただ封じているだけだからだ。

同時に、翁長さんも菅さんも言葉狩りを助長するようなことはおやめいただきたい。粛々という日本語は本来、〈鞭声粛々《べんせいしゅくしゅく》夜河を過《わた》りぬれば〉（山陽詩鈔《ししょう》）などと表現するように、厳《おごそ》かな静けさを表現する言葉であって、政府要人が「使用停止」にするような言葉ではない。

一方で、この言葉狩りの背後に、普天間問題の本質も潜んでいる。

政府の沖縄政策とは、西暦一九四五年三月から六月の沖縄戦での被害者は沖縄県民、加害者はそれ以外の日本国民という敗戦後に作られた構図に基づく、「沖縄振興」である。

沖縄戦は、それに先立つ硫黄島《いおうとう》の戦いで栗林忠道《くりばやしただみち》陸軍中将が島民をすべて避難させたこととは対照的に、住民をそのまま巻き込む惨劇をつくった。

それは沖縄根拠地隊司令官であった名将、大田実《みのる》海軍少将が自決のまえに海軍次官に宛てた「沖縄県民斯《か》ク戦ヘリ　県民ニ対シ後世特別ノ御高配ヲ賜《たまわ》ランコトヲ」の訣別電文で徹底的に、フェアに批判なさったとおりだ。

と同時に、沖縄を護るために全国から国民が駆けつけた戦いでもあった。

今では日本兵と一括《ひとくく》りにされているが、戦争末期でもあり多くがふつうのサラリーマンや教師、あるいは雑貨屋のご主人、運送屋さん、わたしたちと同じ働く庶民だった。

わたしが不肖ながらかつて社長を務めた独研（独立総合研究所）は一年間、沖縄から研修生を受け入れたことがある。沖縄電力で会長秘書を務めた優秀な女性が、わたしに同行するのが任務の独研総務部秘書室第二課に出向してきた。普天間高校を経て地元の名門短大を出た彼女に、「戦艦大和も、全国から乗り組んだ三千三百三十二人の国民が、ただ沖縄を護ると、こころをひとつにして帰らざる出撃をしたんだよ」と話した。

ただそれだけで、若い彼女の表情がふっと変わった。

生まれてからずっと、日本国民を被害者と加害者に分ける教育を受けてきた沖縄県民が、初めて、同胞《はらから》はひとつという考えに触れた瞬間だったのだ。

彼女が抱かされてきた本土への感情が和らいだことをわたしは実感し、教育の恐ろしさ、大切さをまたしても痛感したのだった。

新しい時代

ところが安倍政権もまた、こうした間違った教育と同根の沖縄政策を執り続けた。

わたしはかつて、沖縄からは講演の依頼が来なかった。今もまた絶えて来なくなっているが、一時期、何度も呼ばれたことがあった。そうした講演の主催者に「なぜ、わたしを?」と聞いてみると、「中国はいずれ沖縄を獲りに来ると早くから公の場やメディアで言っていたのは青山さんだけです。まさかと思っていた話が現実に感じられるようになって、直接、話を聴きたいと考えたのです」ということだった。

そうした講演の最初は、沖縄の財界人の集まりだった。

わたしのつたない話をお聴きになるすべてのひとがダークスーツの中でただひとり、最前列のど真ん中にいらっしゃるひとだけが、アロハシャツを着ている。

かりゆしではない。間違いなくハワイの派手なアロハだ。

わたしが話を終えて会場を去ろうとすると、ほかの聴衆が無言で出て行かれる人の波に逆行して、アロハの方だけが近づいてこられる。差し出してくださった名刺を見ると、沖縄電力の上級役員だ。

正直、驚いた。沖電は沖縄最大の企業だ。そこの役員がアロハ。そしてこう仰った。

「私はふだん、講演というものは聴かないんです。特に本土から来た有識者の講演は聴かない。本土のテレビで言っていることを沖縄に来たら言わないから。沖縄戦をお詫びしますとか、米軍基地の大半があって申し訳ないとか、急に、沖縄の多数派に合わせるのが嫌らしい」

わたしは「ははぁ」と応えるしかなかった。

「それがね、今回だけは何か予感がして来てみたら、あなたは、沖縄は沖縄戦の被害者とばかり振る舞っていてはいけないと、あなたのふだん通りにはっきり言った。やっと胸のつかえが取れましたよ」

わたしは、胸の奥で思わず涙ぐんだ。実際の両のまなこには、一滴の涙も見せなかったが、男の中の男に出逢ったと思った。

役員は「これから、お付き合いをしませんか。青山さんの話をもっと聴きたい」とさらり、言われた。

この瞬間からわたしと沖縄の長年のお付き合いも変わった。大袈裟な言いぶりを許してもらえば、いわば新しい時代となった。

そしてすぐ分かったのは、役員もわたしも、元々は普天間基地を辺野古に持っていくことに反対だということだった。

それはなぜか。そしていま何をふたり、考えているか。そこから、次章。

五の章

祖国の沖縄　その二

（承前）

さぁ、ふたたび、ぼくらの沖縄について語ろう。

前章で登場していただいた沖縄電力役員とのエピソードから語りたい。

この役員は、沖縄電力の社長になるのを断った人である。

わたしは僭越《せんえつ》ながら、こう申した。

「断っちゃ駄目です。サラリーマンは、人事異動はあえて受け入れ、良い立場でも悪い立場でも踏ん張るのが仕事のひとつです。その究極が社長就任だから、サラリーマンである以上は受けるべきです」

わたしも共同通信の記者時代の十九年、そのあと三菱総研の研究員の四年半、合わせて二十三年半の長きをひとりのサラリーマンとして生きた。

サラリーマンが社長就任の打診をあっさり断るのは、凄みのある生きざまだ。よほどの男ぶり、そして男女を問わない人間力が無ければできることじゃない。それを知りつつ、あえて異論を差しあげた。

するとと「いや、これがいちばん収まりがいいんですよ」とだけ、事もなげに答えられ、そして余人に新社長の座を譲って関連会社に下がられた。

真相は何だったか。いわばもう時効だから言っていいと思う。

当時の知事、仲井眞弘多《なかいまひろかず》さんは、亡き奥さまが大きな借金を抱えておられた。それをめぐって闇世界からも表からも脅迫まがいを含めた圧迫があった。

仲井眞さんは沖縄電力の社長、会長を経て知事になった人であり、この役員は、知事の致命傷にもなりかねないこの醜聞の処理を一手に引き受け、そのために人身攻撃も受けた。

沖縄最大の企業にして公共的な性格も強い沖縄電力の社長になると、それを蒸し返され、沖縄県政が不安定になる恐れがあると役員はみずから秘かに判断し、未然に防ぐために身を引いたのではないだろうか。もちろん、わたしの勝手な憶測である。

大和魂を持つ人材

なぜこの推測、エピソードを紹介したか。

おのれの立身出世よりも、さらりと公の利益、人のためになることを優先させるという大和魂を持つ人材が沖縄県にもいることを知ってもらいたいのが、理由のひとつだ。

中国にはこのような文化はない。

ご自身より民を大事になさる日本の天皇陛下とは異なり、中国の歴代皇帝は私利私欲で革命を引き起こして成り上がった人々である。現在の共産党王朝時代では、たとえば毛沢東国家主席は、おのれの権勢を回復するために子供たちを紅衛兵《こうえいへい》に仕立て上げ、文化大革命を引き起こして自国民を死に追いやった。

その死者は恐ろしいことに、一千万人以上から四千万人規模まで諸説ある。中国共産党が第十一期中央委員会第三回全体会議でみずから示した推計でも文革で殺された国民四十万人、被害国民一億人としている。要はとても計りきれないほどの膨大な数の自国民を殺害した。

その毛沢東主席の巨大な肖像画が今なお、天安門広場の正面を堂々と飾っている。中国の象徴なのだ。

中国人民解放軍のエリート海軍大佐や陸軍の高名な退役将軍はかつて、北京でわたしに

「琉球の文化は、中国の文化だ」と力説したが笑止千万である。

琉球沖縄は、空手道発祥の地であっても、それはおのれのために他者を好きなように殺傷する文化ではない。空手に先手なし。まさしく思いやりと利他、陛下がお示しになっているように人のために生きる日本文化である。

この中国の海軍大佐は、「青山さんのお母さんは武家の出ですね。たとえば姫路城の石垣の角は尖《とが》っている。日本の城はすべてそうだ。ところが那覇の首里城の石垣の角は丸い。あれは中国の文化だ。青山さんは日本での講演で、祖国とは文化でもあると言っているのだから、すなわち琉球は中国のものです」と流暢《りゅうちょう》な米語で言った。

わたしと議論する前に、徹底的にわたしの情報を調べているのはさすがの情報工作国家だが、この時点ですでに中国は沖縄を呑み込むことを目指していたのである。

前章で紹介した仲井眞さんの知事当時の言葉の趣旨、「中国は尖閣諸島だけで我慢はしない。必ず沖縄本島にまで手を伸ばしてくる。文化面の工作としてはもう伸ばしていますよ」――をもう一度、思い起こしたい。

社長の椅子まで棒に振った献身

さて、その仲井眞知事を護ろうとして自らを犠牲にした役員の行動を知る人は、沖縄にも多くはない。しかも知る人であっても「沖縄電力の上司だった仲井眞知事だから庇《かば》おうとしたんだ」と理解していることがある。それは違う。

仲井眞さんは、この役員の陰の尽力もあって二期目に当選した。ところが、そのあと知事応接室で向かい合っているとき、知事（当時）は「青山さん、（あの役員に）たまにはワインの一杯も一緒に飲んでくれんかと伝えてくれませんか」と真剣に仰った。

わたしが驚いて、「付き合ってくれないんですか」と聞くと「うん、あの男は怒っていてね、音信不通なんだよ」との答えだ。役員は二期目の仲井眞さんが大知事になってしまって自己中心的だと怒って、一方的に連絡を絶っていたそうだ。

役員に知事のこの言葉を伝えると、不敵に微笑するだけで何も言わない。

社長の椅子まで棒に振ったあの献身が、もしも自分の利益や会社のためだったら、ここぞとばかりに知事に連絡を取り、さまざまな影響力を期待するはずだ。それが真逆である。

この役員が、普天間のアメリカ海兵隊基地の辺野古移設をどう見ていたか。その本音を知ることは意義があると、読者はもう分かっていただけるだろう。

辺野古のある沖縄県名護市に、カヌチャという名のリゾート施設がある。わたしはここで何度か役員とゴルフをした。役員は名手だが、わたしは下手くそだ。

わたしは思いがけず国会議員になってしまう直前まで、ＪＡＦ（日本自動車連盟）公認のカーレース「富士チャンピオンレース・ロータスカップ・ジャパン」に正式参戦して富士スピードウェイを走っていた。また、わたしと一緒に現場を歩く会である「インディペンデント・クラブ」の会員たちとアルペンスキーの雪上集会を開いたりしている。だから、ゴルフボールではなく自分がすっ飛んでいきたい。それでも男の中の男と美味しいビールを呑みたいから、苦手なゴルフをご一緒した。

そのコースの途中から、辺野古の海、まさしく埋め立て予定の青い海が一望できる。

一望できるということは、そこに滑走路ができれば海兵隊のオスプレイや攻撃ヘリコプターが上空を飛び交うということだ。

アメリカのご都合

　わたしは別途、この辺野古に数え切れないぐらい通い、また防衛省、あるいは自衛隊の幕僚監部と基地の現場、またワシントンDCの米国防総省を回って、移設後は海兵隊の航空機がカヌチャリゾートの上空も飛ぶ見通しだと確認していた。

　そのカヌチャは、この役員も心血注いで、沖縄経済の自律のために創建した施設なのだ。沖縄電力も沖縄県も実質的にある意味加わって造られ、運営されてきたとわたしは考えている。

　下手なプレーで迷惑をかけながら、わたしは聞いた。

「自己矛盾じゃないですか。この頭上をたとえば攻撃ヘリが大音響で飛び回ったら、カヌチャへの悪影響はたいへんなものでしょう。辺野古への移設をなぜ推進するんですか」

　役員は微苦笑して、ただひとことだけ答えた。「その通り」

　普天間基地の沖縄県内移設が、仮にやむを得ないにしても、なぜ辺野古なのか。

　たとえば同じ、やんばる（本島の北部地域）に、住民や地元施設に影響の小さい候補地は見つかるはずだ。やんばるには、北へ行くほど未開発の地域が多いからだ。未開発だからこそ環境への影響は大きいのは確かだ。しかし辺野古の蒼海《そうかい》への影響も小さくはない。

要は、アメリカのご都合なのだ。

辺野古の海を実際に見ていただくと分かる。アメリカ海兵隊のキャンプ・シュワブがすでに海岸線から奥に広がっていて、美しい海岸の一部は日本国沖縄県なのに米兵とその家族しか入れない専用ビーチになっている。

その基地と連続して新滑走路を造れば、米軍にとって良い話だ。やんばるの奥地などに造れば、快適な基地生活を送るにも都合が悪い。

日米安保条約は果たして、ここまでアメリカ側の都合の最優先を定めているか。定めていない。これをまるで無意識のごとくやる限り、日米同盟は対等にならない。勝者が敗者を従わせるという遺物を根っこに抱えたままになる。

そして同時に、沖縄の本音がある。人家のない北部に移設したのでは旨味がない。たとえば補償金としても土建業の業績としても、やんばる最大都市である名護市への移設の方がはるかに実入りがある。

根本の病

普天間の移設問題に深く関わった人のひとりに、守屋武昌さんという人物がいる。防衛事務次官の当時に、時の小池百合子防衛大臣との人目につく対立も演じ、実質的に解任された。そのあと普天間とは直接には関係のない収賄《しゅうわい》容疑で逮捕・起訴され、争いはしたが敗れて有罪判決を受け、服役した。

わたしは守屋さんのこうした顔をまったく知らなかった。事件後に防衛省の知友から「青山さん、守屋さんはプレー料金の多くを業者に出してもらってゴルフするとき、日焼けがばれないように長い手袋までしていた。別の顔を知らなくて当然ですよ」と聞かされた。

わたしは胸のうちで「守屋さん、ゴルフが好きなら国家公務員なんだからプレー代ぐらい自分で出してください」と惜しんだ。防衛省きっての戦略家、国家観と中長期の安全保障戦略を語れる、敗戦後の日本には珍しい官僚だったからだ。

裁判の最中に、アメリカ国務省でも良心派の知友からわたしに連絡があった。

「ミスター・モリヤは日本側で唯一、普天間をめぐって嘘をつかず、真実を語る人だった。

東京に行って慰労会を開きたい。セットしてくれませんか」。わたしとそのアメリカの外交官と守屋さんの三人でテーブルを囲むと、守屋さんは生活苦まで語った。

このようにさまざまな意味で率直なところのある人だから、普天間について一種の告白本を出している。その終わり近くで〈私の試算では、基地があることで沖縄県に入る金額の合計は年間五千八百二十九億円に上る。〉（新潮社刊「普天間交渉秘録」）と記している。米軍基地撤去を烈《はげ》しく叫びながら、基地の存在で入る異様なまでに巨額のカネを頼みにする。

これは、ひとり沖縄の問題ではない。

沖縄戦を日本国民、そして国民が民主主義の手続きによって選んだ中央政府がずっとどのように扱ってきたか、そこに病根がある。

前章でも触れたように、海軍少将の大田実閣下が自決のまえに海軍次官に発出した正式電文で「沖縄戦は県民を巻き込んだ」と真っ直ぐに批判なさったことが明示する大問題がある。それと同時に、全国からやって来た日本国民が沖縄を護るために戦ったのが沖縄戦だった。

沖縄県民を被害者、それ以外の国民を加害者に分断する歴史観ではいつまでもカネが被害者の求めに沿って流され、沖縄県民の秘めた悲願でもある沖縄経済の自律はなく、経済の自律がなければ拝金主義が文化でもある中国からの「われわれならもっと取り分を増やしてやる」という誘惑に、翁長雄志《おながたけし》、デニー玉城《たまき》知事も含めて引っ張られる。

辺野古への移設決定は、勝者アメリカへの媚《こ》び、敗戦後の日本が自らを分断する根本の病、それぞれがいずれも深く作用してなされた決定だ。

しかし、わたしも役員も現在は、辺野古移設をやむを得ないと考えている。

なぜか。すでに国家間で約束を確定させているからだ。

安全保障や外交をめぐって主権国家同士で正式な手続きを踏んで交わした約束を、地元が反対しているからという理由で覆せば、相手がアメリカでなくとも日本を信用する国はなくなる。そのとき喜ぶのは、沖縄を手中に収めたい中国であり、その中国に媚びる韓国である。

では、わたしたちはこれからどうすればいいのか。

それを考えるために、次章「祖国の沖縄　その三」では、天皇皇后両陛下と現在の沖縄の関わりにまで踏み込んで、事実と現場だけを根拠に、さらにお話ししていきたい。

六の章

祖国の沖縄　その三

（承前）

みたび、ぼくらの沖縄を語ろう。

前章では、読者のみなさんにこうお約束した。「天皇皇后両陛下と現在の沖縄の関わりにまで踏み込んで、事実と現場だけに基づいて、さらにお話ししたい」

上皇陛下は、皇太子殿下、天皇陛下でいらした時代から実に十一回にわたり、沖縄県に行幸《ぎょうこう》されている。それは昭和天皇のご遺志もあってのことと宮内庁幹部から一国民のわたしに至るまで、多くのひとがそう拝察している。

昭和天皇は敗戦後、日本の隅々まで丹念に回られた。だが訪沖だけは遂にかなわぬまま崩御《ほうぎょ》なさった。当時、総理官邸や宮内庁で任に就いていた人々はわたしに「昭和天皇におかれては訪沖を切に望まれ、皇太子殿下（のちの上皇陛下）も深く、その大御心《おおみこころ》をお胸に刻まれていましたよ」（元官房副長官）と今、語る。

崩御から二十三年後の西暦二〇一二年十一月、安倍晋三さんが再登板を期して自由民主党総裁となり、総選挙を控えて政権公約を発表した頃に、今上陛下と皇后陛下（当時。現・上皇、上皇后両陛下）は九度目の沖縄行幸啓《ぎょうこうけい》をなさった。

そのとき両陛下は、沖縄戦で頭が割れ手足が吹き飛び腸《はらわた》が出た日本兵を、若い手で看病した「白梅学徒看護隊」の生き残りの女性たち三人と対面なさった（正しくは学徒隊。戦後に学徒看護隊と呼ぶようになった）。ところが地元のマスメディアには、ほぼ黙殺された。「沖縄には天皇陛下への複雑な感情がある」としきりに強調する学者、評論家らがいるが、さすがに普段はこのようなことはない。沖縄県民にも両陛下のご存在は尊い。

では、なぜ黙殺なのか。無かったことにしたのか。

わたしは国会議員となるまで二十数年間、防衛省の幹部研修で安全保障を講じてきた。防衛庁（当時）の担当記者時代からだ。議員となってからも変わらず続けたいが、防衛省が避けている。

沖縄で勤務している幹部候補に、レジュメにある「白梅学徒看護隊」を読んでくださいと問うた。「はくばい・がくとかんごたい」と、研修のあと係長に昇進する受講生は答えた。「白梅」は、はくばいではなく、しらうめであり、沖縄県立第二高等女学校（二高女）の校章だった。彼が物を知らないのではない。沖縄県民、ウチナンチューも「ひめゆり学徒隊」の自決壕を観光地にしつつ白梅学徒隊は知らず、だから本土から赴任した彼も一度も沖縄で聞いたことがない。

忘れられた学徒隊

大戦の末期、日本国はその永い歴史で初めて領土を外国軍に侵《おか》された。東京都の硫黄島《いおうとう》である。西暦一九四五年三月二十六日、硫黄島の占領に成功したアメリカ軍は、その同日に、今はケラマ・ブルーの碧《あお》い海で世界のダイバーに知られる慶良間《けらま》諸島に上陸し、沖縄侵略の本番を開始した。硫黄島の栗林忠道《くりばやしただみち》陸軍中将は島民をすべて事前に避難させていたが、沖縄の牛島満陸軍中将はそれを願いつつ果たしきれなかった。そのために何が起きたか。

「青山さん、昨日まで女学校でお裁縫を習っていたこの手で、兵隊さんの太腿の千切《ちぎ》れたところに湧いたウジをひとつひとつ震えながら取っていったり、軍医が切り取った腕を病院壕の外へ捨てに行ったりしたのです」と当時十六歳、八十六歳になられた二高女の生徒、白梅学徒隊の一員は西暦二〇一五年に語った。元生徒とも卒業生とも言いたくない。その眼は少女に戻っているし、存分に学ぶことが叶わなかったからだ。

わたしだけが、この忘れられた学徒隊を知っていたのではない。わたしも「ひめゆり学徒隊」しか知らなかった。

二十六歳で共同通信に入り、最初の夏休みに沖縄を訪ねた。今よりさらに、沖縄のタクシー代は安かったから奮発して、那覇空港で個人タクシーをチャーターし南部戦跡をまわっていた。すると現在のわたしぐらいの年代の運転手さんが車を道端に寄せ、「青山さん、あなた若いのに、どうしてこう陰気なところばっかり回るんですか。あなたはダイバーじゃないか。用具も借りられるから、海に行きましょう」と言った。

「ぼくは実は新米記者なんです。記者になって最初の沖縄だけは、この手と足で沖縄戦を確かめたい。海は次にお願いします」と答えると、運転手さんの顔と声が一変した。

「あなた記者なのか。じゃ行くところが違うんだよ」と言って、そして連れて行かれたのが白梅の慰霊碑と自決壕のある場所だった。

正面に石積みと、そのうえに小さな碑がある。その背後に運転手さんが回ると、石積みの真ん中に鉄の蓋がある。真っ赤に錆《さ》びていて、鍵が掛かっていないのではなく、鍵がない。そのまま運転手さんがためらいなく開くと、何か真っ白なもの、この世の物とも思えないほど白い何かが、わたしの両の眼に飛び込んできた。目を凝らすと、それは顎の骨らしかったり、明らかに大腿骨だったり、なべて小ぶりな骨がぎゅうぎゅうに詰め込まれているのだった。

運転手さんは、それがこの碑の右奥にある自決壕に散らばっていた二高女の学徒隊のご遺骨だと話し、そして広い敷地へ両手を広げて、こう言った。「見てください、誰も来ない。私たち沖縄県民も忘れている。沖縄戦の一部だけ観光にして、被害者になって、ほんとうは多くを打ち捨てたままにしてる。あなた記者なら、どんなに怒鳴られても嫌われ憎まれても、これを沖縄に語ってくれませんか」

わたしは以来、そうした記事を書き続けたが、すべてボツになった。共同通信としては当然だ。それは那覇支局の仕事であり、経済部や政治部の記者になっていったわたしの担務ではない。それでもずっと、この白梅の地にお参りを続けた。

あるとき、小さな碑が突然、現在の立派な慰霊塔に変わっていた。左横に、コンクリートの納骨堂もでき、その両端にケース入りの人形が置かれていた。鈍いわたしはようやく気づいた。ああ、生き残りの少女たちがいらっしゃるんだ、と。

おばあが教えてくれたこと

　戦争が終わったとき、親と親戚の多くを殺された少女にできることは、あの小さな石積みを築くことだったのだろう。やがて結婚もし、お金も貯めて、わたしが来ないあいだにこの立派な塔に建て替えたのだ。あのご遺骨を収めたお堂には、もはや扉はなかった。

　それを機に探してみると、この生き残りの少女、沖縄では年長者への敬意を込めて「おばあ」と呼ばれるかたがたと巡り会い、白梅同窓会長の中山きくさんとも世代を超えてお友だちになることができた。

　この生き残りの人のうち何人かと一緒に慰霊塔を訪れ、わたしがごく自然に「昔、お参りを始めたときは小さな石積みがあって……」と話し出すと、きくさんではないひとりのおばあが、わたしの腕を摑んで小声でこう言った。「嘘を言わないで。同級生ですよ。そんなところへ詰め込んだりしない」。

わたしは顔には出さずに驚いた。わたしはメモを取るより、すべてを脳裏に映像で刻みつけるタイプの記者だったし、あの凄絶《せいぜつ》な白さ、お骨を見間違うはずはない。しかし何か事情があるのだろう。そのまま呑み込んだ。

そして自決壕に降りたとき、わたしはおばあたちも忘れていつも通りに、いちばん底の柔らかな土を撫《な》で、そのうえに横たわっている姿がありありと分かるおかっぱやお下げの少女たちに小声で話しかけた。

「みなさんがまだ恋も知らずに、ここで頑張ってくださったおかげで、今のぼくたちがいます。ありがとうございます。ありがとうございます」

やがて、おばあたちと自決壕を出て、沖縄の明るい陽射しをどっと浴びたとき、先ほどのお一人が再び、わたしの腕を掴まれた。

「青山さん、ごめんなさい。私こそ嘘を言いました」

おばあは、声を押し殺して教えてくれた。

……この壕で同級生が自決していることを分かっていても、なかなか来ることができなかった。まだ十代の頭と手で生活を再建せねばならなかったし、恋もしてみたかった。やっと来てみると、もう身体は溶けて骨だけになっていた。

それでも身に付けていたもので、誰々だと分かる同級生もあり、生き残っている母や父に連絡をとると、「うちの子はあんたがたよりも足が速かった」「泳ぎが上手かった」と言われて「やんばる（沖縄本島の北部）に逃げたり、海に出てどこかの島へ泳いだりして、そこで、あんたがたと同じように無事に結婚してねぇ、子供も立派に育ててる。これはうちの子じゃない」と言われる。仕方なく手作りで石を積んで、その石積みの狭い空間に泣きながら、ボキボキ折れる音のする同級生の骨を詰め込んで、そこに鍵のない蓋をした。

夜が来ると、そこに母や父の誰かは現れて、蓋を開けて、おほねに触って、娘の名前を呼ぶだろうと思ったから、鍵を付けなかった。

まさかそこに、私たちを自決に追い込んだ本土の人間がやってきて、長年お参りしているなんて思いもしなかったから、さっきは思わず混乱して「嘘を付かないで」と言ってしまった。ごめんなさいね。

そのように話してくれた。

わたしは「たまたま生き残ったみなさんも、自決なさった同級生のみなさんも、この壕にいた日本軍の士官、兵士も、みな共に沖縄県と祖国を護ろうとなさいました。被害者と加害者ではありません。これから一緒にやり直しませんか」と言い、ぎゅっと、おばあをハグした。

不幸な歴史を超克する契機に

同窓会長の中山きくさんは、毅然《きぜん》とした、沖縄の海のような母性を湛《たた》えたひとだ。そのきくさんと会うときも、いつも全身でハグする。どのかたも、わたしの腕のなかで二高女の少女に戻られる。それを世代を超えた沖縄県民や、本土から訪ねたひとが見ている。

きくさんは「青山さん、青山さんに感謝しつつお聞きしたいことが山のようにあります。青山さんの言うことは、私たちが語り部としてずっと話してきたことと違うところもある。そこを考えるべきなのですか」と折に触れ、尋ねられる。

わたしは、きくさんたちの永い苦闘の日々を思いながら「はい。一緒に考えませんか」と答える。

そうするうち、わたしの胸にささやかな考えが生まれ、迷い、練りあげ、そして確かな決意へと育っていった。「天皇皇后両陛下（当時。現・上皇、上皇后両陛下）に、白梅の塔へ行幸啓いただけるよう、僭越《せんえつ》ながら一身を捧げて努力すべきではないか」

両陛下は、皇太子殿下と妃殿下の時代に「ひめゆりの塔」へ行啓された。そして、ひめゆり学徒隊は、沖縄県立第一高等女学校（一高女）と沖縄師範学校女子部というもっともエリートだった女学生の部隊だったから、記憶され、映画にもなり、そして観光地になっている。悲劇には変わりないし、お土産を熱心に売る声が響く観光地になっていることが、ひめゆりの少女にとっていいことか分からない上に、他の二高女、三高女、そして私立の女学校、農業校の女子の学徒隊は、ひめゆりの他に八つもあったにもかかわらず、ほとんど忘れられている。敷地の広い白梅の塔に、行幸啓をいただいて、そこにひめゆりを含めた九つの隊全部の生き残りのかたがたに集まっていただければ、敗戦後の不幸な歴史を超《ちょう》克《こく》していく契機になるのではないか。

そう考えたわたし自身が、両陛下のご日程に何らかの影響を与えることが恐ろしくて、暮《ぼ》夜《や》、浅い眠りから飛び起きることもある日々だった。しかし意外にも事態は動き始めた。

……次章に続く。

七の章

祖国の沖縄　その四

（承前）

わたしたちは、おなじ日本国民を敵味方に分けるおよそ八十年間を敗戦後ずっと送ってきた。それを脱する時機をたぐり寄せねばならない。

沖縄選出の参院議員に、糸数《いとかず》慶子さんという女性がいた。

沖縄社会大衆党の委員長であり、世の分類からすればきっと、わたしと対立する思想の側ということになるのだろう。そして糸数さんは、沖縄タイムス記者（当時）の配偶者に「家事、育児は俺がやる」と言われてバスガイドから政界に出た人である。

この糸数さんとふたりだけで、わたしは白梅《しらうめ》学徒看護隊の少女たちの自決壕に降りたことがある。本書で記してきた自決壕だ。

わたしは壕の底でいつもと同じく、少女たちに深い感謝と祈りを捧げた。少女たちは軍国主義に騙されて自決したのではなく、ひとのために、みんなのために生きて、そのおかげで今のわたしたちがいるという、深きも深い感謝である。

学徒隊の生き残りの方と一緒に入っても、いわゆる左派政党の議員と一緒に入っても、わたしは壕の中でこの感謝と祈りの言葉を変えることがない。

薄暗い底で、いつもぞっとするほど冷たい湿った土を撫《な》で回して、そこに横たわっていたことがありありと分かる少女たちと会話をして、ふと気がつくと、肩を触れあう左隣の糸数慶子さんが手を合わせたまま眼を大きく見開き、まじまじとわたしを見ていた。はっとしたような表情だった。

そのとき、ふたりは眼を見合っただけで何も話さなかった。しかし胸に沁《し》み入ってきた。慶子さんが「保守派に、こんなひとがいるのか」と驚いていることが。

そして慶子さんが、わたしと少女の会話をありありと、そのまさしく少女のような感受性で感じ取ったことも伝わってきた。

わたしは何々派と分類されることを受容はしない。わたしは何派でもない。しかしどのように分類され、呼ばれようと、どうでもよい。大切なことは何を同胞《はらから》と共有できるか、この一点だ。

昭和天皇とのツーショット

さて、前章の末尾でわたしはこう記した。

「意外にも事態は動き始めた」

と言っても、それは気の遠くなるような長い道のりだった。その経緯は記さない。他人の苦労話は、多くのひとにとって退屈だ。誰もが人に言えない苦労をしているからである。この拙《つたな》い書を読む時間も、みなさんひとりひとりの二度と帰らない人生の時間だから、そんな話はやめましょう。

道のりのなかの最終段階のことどもだけを記したい。

わたしは皇居を訪ねた。

西暦で申せば二〇一二年、皇紀なら紀元二六七二年、元号は平成の二十四年のことである。

坂下門から広大な宮城に入り、運転してきた車を駐車した。かつて中曽根康弘総理の若い総理番記者として「番車《ばんしゃ》」（総理番が内閣総理大臣の車を許可を得て追いかけるための、専属運転手さんのいる車）で同じ駐車場所にいたことを思い出していた。

当時のある週末に、官邸幹部が総理不在の執務室に内緒で入れてくれたとき、中曽根さんがご自分と昭和天皇のツーショット写真をずらり、壁と天井の境に並べ、高く掲げているのを見た。官邸幹部は「あくまで陛下に仕える臣《しん》・中曽根であるというのが総理の本音なんだよ。それを青山くんに分かってもらおうと思ってね」と言った。

その中曽根総理は宮殿に入ると、いつもなかなか出てこない。

共同通信政治部の記者だったわたしは、同じ番車の中にいた時事通信の年下の記者に声をかけて宮中の探検に出かけた。地下をぐるぐる回り、そこから上がってみると、陛下がたとえば大臣らの認証官任命式をなさる静謐《せいひつ》な部屋であったりした。あとで先輩記者に話すと「おまえは……撃たれるぞ」と言ったきり、青ざめた。

わたしは、その懸念を理解しつつ不可思議にも思った。

宮中は日本の根っこを象徴するかのようにまことに穏やかで、国民の眼を拒んでいるとはとても思えなかった。

皇居は緑が濃い。

首都のど真ん中にありながら、原生林のような緑に動物が棲《す》み、歴代の天皇陛下もそれを愉しんでこられたそうだ。ほんらいは武家の砦《とりで》である江戸城を、このようにいわば棲みこなされていることも陛下のご存在のありようを理解するために大切な、国民の情報だ。民が知ることを拒むとしたら、それは宮内庁の官僚主義にすぎない。記者はマスメディアの労働者ではなく国民の耳目《じもく》の代わりだと、わたしは本気でいつも考えていたから、総理のSP（警視庁警護官）にこれも内緒で、総理が車に戻ってくる時刻を聞き、それまでのあいだ探検に出るのは当然の使命ではないかと思った。管理上、止められたらそこで即、退去する。

しかし共同通信の時代には一切、記事にすることを許されなかった。こうして今、初めて記すことができる。

永遠に、女系天皇を認めない

話を戻すと、番車から降りて建物群に入っていくとき、したがって事前の許可はなくとも敷居の高さを感じなかったのだ。

ところが記者の仕事を途中で退き、三菱総研の研究員を経て独研を創立し、万全の許可を得て宮内庁の古い石造りの庁舎に入るときは、敷居を限りなく高く感じた。

警備の人が敬礼までしてくれているのに、どうにも入りにくい。これから会う宮内庁長官に、話を取りつく島もなく断られるのではないかと考えていたからだった。

長い積み重ねがあって、今日その仕上げとして長官に会うのだが、その最後の最後に話をすべて覆《くつがえ》されてもおかしくなかった。

時の宮内庁長官は、羽毛田信吾《はけたしんご》さんだった。わたしは、その高潔な人柄を深く信頼していた。

小泉政権下で、実質的に「女系天皇」の誕生容認に動いた中心人物のひとりだ。こう書くと、あらためて驚く読者もいらっしゃるだろう。

わたしは永遠に、女系天皇を認めない。一方で、女性天皇はもちろん問題ない。過去に何代もいらっしゃる。女系だ、女性だと言うから分かりにくくなる。ほんとうは父系なのか母系なのかの違いである。性別は関係ない。天皇陛下が父系による継承であれば万世一系が続く。しかし母系にしてしまえば、それが男性による皇位継承であっても万世一系は崩れ、日本国の根幹が一瞬にして壊される。

中国共産党の長期戦略のうち対日工作の要中《かなめちゅう》の要が、この母系の皇位継承だ。それによって、天皇陛下のご存在の、かけがえのない値打ちのひとつを破壊することを狙っている。だから、わたしを知る読者ほど「それでどうして、羽毛田さんの人柄を信頼するのか」と仰るひとも居るだろう。それはそれで良く分かる。しかし逆に、お気づきの読者も少なくはないだろう。こうやって意見の違うひとほど、わたしは人間同士で向かい合いたいのだ。

羽毛田長官に会う理由

羽毛田さんは苦学して京都大学へ進み、弱者のために尽くしたいと厚生省（当時）に入った。事務次官まで務めてから宮内庁に転じて長官となった。

長官時代に、時の最高権力者、小沢一郎民主党幹事長（当時）から「陛下の予定を変えて、中国の習近平国家副主席（当時）と会われる予定を入れろ」と強要され、温厚そのものの人柄に似合わず烈《はげ》しく抵抗し、小沢さんからも鳩山由紀夫総理（当時）からも重く圧力を掛けられた。

おそらくは「静かに陛下にお仕えして終わりたい」と思慮《しりよ》されていただろう羽毛田さんご本人の意に反して、それをもって退官後も政治史に名前を残している。

その羽毛田長官に会う理由はただひとつ、「今上陛下と皇后陛下におかれては、沖縄の白梅の塔に行幸啓《ぎようこうけい》をなさいますよう、長官からご進言を願いたい」ということだった。

もともと信頼関係のある羽毛田さんだが、多忙な長官とは電話で話すことが多く、長官室で会うのはこれが初めてだった。

羽毛田さんが、その年内に退官するだろうことは情報で知っていた。最初で最後の長官室での面会が「青山さん、申し訳ないけど、これは聞けない」という答えになるのかなと思っていた。

それはそうだ。天皇陛下、あるいは両陛下のご予定が一民間人の意見具申で決まるなどということは聞いたこともない。

新しい歴史の始まり

重厚な雰囲気の長官室で向き合うと、羽毛田さんは「沖縄の学徒看護隊が、ひめゆり部隊だけではなく白梅隊を含め全部で九つもあり、その多くが沖縄県内でもほぼ忘れられている……それは、厚生省で沖縄に関わってきた私でも青山さんから聞くまでほとんど知りませんでした」と、羽毛田さんらしくありのままに言った。

わたしは勇を鼓《こ》して「それは、両陛下もあるいは存分にはご存じではないだろうということですか」と聞いた。

周知のように、両陛下（当時の天皇、皇后両陛下。現在の上皇、上皇后両陛下）は皇太子殿下ご夫妻の時代に、ひめゆりの塔で慰霊をなさっている。

羽毛田宮内庁長官は、この不躾《ぶしつけ》な問いかけに、その通りですという意を示し、そして「青山さん、あなたの仰っている通りの事実かどうかを、こちらでも改めて徹底的に調べます」と言った。

わたしは内心で跳びあがった。

調べる？

それは両陛下の行幸啓のご予定に入れることを検討するからではないか。

わたしは「どうぞ、お調べください」とだけ答えた。胸のなかでは、白梅学徒看護隊の生き残りのみなさん、白梅同窓会長の中山きくさんをはじめ、今はおばあ（沖縄ではおじい、おばあは年長者への尊敬語）でも、わたしがハグすると腕のなかで十五歳や十六歳の少女にほんとうに戻るみなさんのお顔が次々に浮かんだ。

「羽毛田さん、もう蛇足《だそく》だと思いますが、もしも行幸啓が実現すれば、本物の和解になります。新しい連帯の始まりです。白梅の塔の敷地は広いから、ひめゆり部隊の生き残りのかたがたにも来ていただけます。九つの学徒隊の少女たちが初めて、みな集まり、そこに沖縄をあんなに深く愛されておられます両陛下が行幸啓されれば、沖縄県民が被害者で他のおなじ日本国民が加害者に分けられてきた不幸な歴史を、国民みんなで克服する歩みの始まりにもできると思います」

羽毛田さんは、じっと黙して聴いてくれている。

「昭和天皇が沖縄行幸を熱望されながら実現に至らなかったからこそ、この新しい歴史の始まりは尊いとも考えます」

宮内庁長官は「わたしもそう思います」と、はっきり答えた。決然とお答えになったと、わたしは感じた。

わたしが宮中を辞したあと、長官の指示のもと宮内庁は警察庁、厚生労働省、沖縄県庁らと協力しつつ文字通り徹底的に調査して、わたしの申した事実に一点の誇張も誤りも無いことを確認した。

そして羽毛田宮内庁長官が天皇陛下に、白梅の塔への行幸をお考えいただくよう上奏《じようそう》をなさった。

さぁ、天皇皇后両陛下は、どのようにこの上奏をお聴きになったか。

そこから次章である。

八の章　祖国の沖縄　その五

（承前）

宮内庁長官（当時）の国士、羽毛田信吾《はけたしんご》さんが、沖縄の忘れられていた白梅《しらうめ》の塔について天皇陛下に上奏《じょうそう》なさったとき、どのようなご様子であったか。

それを羽毛田さんはひとことも話さなかった。正しいことだ。

上奏の際の陛下のご様子は決して宮中の外へ話すことがあってはならない。それをすれば、陛下の政治利用、あるいは利害関係への援用に繋がりかねないからだ。

政治利用しない、これは至上のルールでありつつ、多くの人が知らないかのような振舞いをしてきた。羽毛田さんはそのようなことをする人物ではない。

同時に、わたしは記者出身でもある。

正当な方法であれば力を尽くして、情報は主権者、国民のために把握する。現役の記者時代も現在も変わらない。

サミットの門外不出の政治宣言案を現職の海部俊樹総理（当時）その人からサミット前に渡され、総理公邸から官邸へと続いていた長い廊下を歩いて深夜、官邸記者クラブへ戻るとき、背後からパジャマにガウンを羽織った海部総理がＳＰ（警視庁警護官）と一緒に走って追っかけてきたことがあった。

　わたしは『ああ、やっぱり。さすがに無理だったか』と諦めて政治宣言案を総理の手に戻した。すると当時の海部総理は、一枚目の紙の右上だけをびりっと破った。

　そこには「1/7」と記してあった。すなわちこの政治宣言案は政府全体のなかで七人にしか渡さず、かつこれが総理大臣に渡された分だという印である。そして海部総理は、わたしの手に戻すと、ＳＰに護られ廊下を戻っていった。

「ぼくは政治宣言案の大要をすでに把握しています。この案には重大な問題、課題があると考えます。サミットに総理が出席して確定してしまう前に、国民の意見を聴くべきです。だから正確に報道させてください」とわたしが海部総理を説得したことそのものには依然として、同意してくれていたのだ。

　わたしは感激しつつ、記者クラブを素通りして共同通信の本社へ向かい、コピー機に掛けると真っ黒な紙しか出てこない。コピーもできない仕掛けがしてあった。そこで原本を元にわたしが記事を書き、原本を回し読みしたデスク陣がその原稿を冷静にチェックした。

記者クラブをはじめメディアの既得権益に頼らない、こうした営為《えいい》からこそ、主権者が手にすべき情報が伝わるという信念は今も変わらない。

両陛下が白梅の塔に

白梅の塔のことをお聞きになった両陛下が深い関心をお持ちになったということは、羽毛田さんを除いたさまざまな関係者に確認した。より踏み込んだ話も聞いたが、それはわたしも永遠に記さない。棺桶に持って行く。

しかし上奏のあと、宮内庁のある幹部から「両陛下が白梅の塔に行幸啓《ぎょうこうけい》されるのはほぼ内定と考えてください」という趣旨の伝達があり、わたしは弾む胸を抑えて、まず白梅同窓会のかたがたに会いに沖縄を訪ねた。

沖縄戦で足や手の千切《ちぎ》れた、わたしたちのたった六十年、七十年前（当時）の先輩を看護してくださった少女たち、白梅学徒看護隊の生き残りのひとびとである。

会う場所は、いつもと違ってザ・ナハテラスという那覇市内のホテルのカフェを選んだ。穏やかな光の溢れる優しい場所だからだ。わたしが両陛下のお気持ちを伝えると、白梅同窓会長の中山きくさんは、すぐに喜びを表すより、わずかに、うつむかれた。

わたしは驚かなかった。

「昭和天皇の決断が遅れたから沖縄戦になってしまった」という刷り込みが、本土以上に沖縄では徹底的に教育とマスメディアによって行われている。

客観的にみて、これほど大きな間違いはないほどの間違いである。そもそも昭和天皇は戦争を終わらせる権限も始める権限もお持ちではなかった。大日本帝国憲法、いわゆる明治憲法にその定めがないからだ。

第一一条に〈天皇ハ陸海軍ヲ統帥ス〉とあるが、統帥とは指揮ではない。日本は日清、日露、そして大東亜戦争と大戦争をずっと戦いながら、誰が開戦の権限を持つかの定めがなく、いったん開戦すれば即、終戦の決断がもっとも大事になるにもかかわらず、その定めもなかった。

憲法改正がないがために苦しむのは、今に始まったことでは全くない。

いったん決めたことは金科玉条《きんかぎょくじょう》としてしまう。柔らかく強靱《きょうじん》な国民の意思で臨機応変に変えていくことをわたしたちができない、それこそ、われら日本人のこれまでの宿痾《しゅくあ》であり、必ず克服せねばならない課題なのだ。

魂のあり方

もしも昭和天皇に開戦、およびそれと対《つい》になった終戦の権限があれば、日米は開戦していないだろう。昭和天皇はアメリカと戦うことに特に強く反対でいらしたからだ。

わたしは記者時代、昭和天皇の吐血、下血の日々に当時は健在だった側近のかたがたに少なからず会い、みな一致した証言としてそれを把握した。

終戦は、どのようにして実現したか。相次ぐ敗北と原爆の被弾のために軍部の発言権が著《いちじる》しく衰え、その隙を突いて超法規的に昭和天皇が踏み切られてようやく実現したのである。

しかし現に、刷り込み、思い込ませることが長年にわたって行われてきた以上、白梅同窓会のみなさんが複雑な感情を持つのは、十二分に予期していた。すでに昭和天皇は崩御され、今上陛下（当時）の御代《みよ》となっていても、である。

だからわたしはいささかも失望せず、余計なプッシュもせず、ただ静かに白梅の少女たちのこころが定まるのを待っていた。

当時すでに八十歳を超えていたみなさんが、お会いしているうちにわたしの実感として、まだ恋も知らずに傷病兵の看護に献身していた十五歳から十七歳の少女に目の前で戻っていかれる。

やがて中山きくさんは「青山さん、ありがとうございます」と仰った。ほかのみなさんも温かな笑顔で頷《うなず》かれた。

両陛下と、白梅の少女たち、このふたつのご存在こそ当事者である。その当事者からいずれも同意が得られたことで、わたしは長年の遅々《ちち》たる歩みの、大きな山を遂に越えたと感じた。

報われるような感情はカケラも無かった。もともと何か報われるとは思っていない。わたし自身は無駄な奔走をして、ただ死ぬのである。

わたしが会うことのない将来の日本国民にとって、意味が微《かす》かにでもあればよい。硫黄《いおう》島《とう》や沖縄で戦われた先輩方と同じだ。

一方でその先輩方は特攻機の搭乗員も含めて、無駄どころか果てしない成果をわたしたちに残してくださった。それは、人のため、公のためにこそ生きるという魂のあり方だ。

わたしは無駄に終わるのがよい。その程度の器量だからだ。

歴史的な日

さて、当時のわたしには詰めるべきを詰めておくという実務が待っていた。

いったん東京に帰り、警察庁をはじめ警備当局と、いちばん重大な「安全の絶対的な確保」について一民間人ながら、そして本来の山積みの仕事に埋もれつつも、詰めていった。

ことは進み始めた。複数の関係当局に「民間人の提案で始まったことだから迷惑……」などという振る舞いは一切なかったからだ。それに感謝しつつ、わたしは仲井眞《なかいま》知事（当時）に会うために再び、沖縄入りした。

向かい合うと知事は「青山さん、今日は普天間のどんな話ですか」と聞いた。

アメリカ海兵隊の普天間基地が住民に対して危険な基地になっている現状を変えるため

の議論も重ねていたから、知事は「当然、その話でしょ」と続けた。

わたしが「知事、今日は白梅の塔のことだけで参りました」と言うと、「え、何？　しら……何ですか、それは」。

仲井眞知事はありのままの人だ。知ったかぶりなどなさらない。

実は仲井眞知事にはそれまでも、白梅学徒看護隊が存在したこと、その自決壕、慰霊碑、いずれも沖縄県民にも忘れられていて、白梅だけではなく、ひめゆり学徒隊を除く残り八つの学徒看護隊がみな似た運命を辿っていることを話したことが何度もあった。なぜか。両陛下に行幸啓をお願いするのなら、真っ先に、それが地元の願いであることが不可欠だからだ。

白梅同窓会のみなさんにも早くから、実質的に打診はしてきた。最終的に「決まりそうです」と伝えたのが、前述の場面というだけである。知事にも、同じように伝えてきていた。

しかし知事という仕事は想像以上に些事《さじ》も含めて強烈に多忙である。これまでは知事の印象に残っていなかったようだった。

そこでわたしは改めて、学徒隊をめぐる史実と現況をお話しし、両陛下が行幸啓をなさる方向で内定しつつあることを伝えた。知事は「驚きましたな。これは教えていただきました。そうですか……白梅の塔。正直、知らなかった」と天井を仰ぐように述懐された。

その正直な言葉を耳にしたときの秘かな感激をいまだに忘れられない。現在、仲井眞知事を選挙で破った翁長《おなが》知事が来客に会う場面がテレビに映ると、その同じ部屋でのこの場面を思い出す。これほど率直な要人がいるだろうか。

こうしたとき、「私も当然、知っていたけど……」と言う要人がほとんどであることを政治記者の経験からよく知っている。仲井眞知事はまったく違っていた。

わたしが辞したあと、すぐに知事は事実関係を徹底的に調べ、確認し、沖縄県として具体的な準備を宮内庁らと協議しつつ開始して、行幸啓の日が着実に近づいてきた。

それは、まさしく歴史的な日である。

白梅学徒看護隊が自決なさった壕のある白梅の塔の敷地は、幸いにして広い。

そこには沖縄県立第二高等女学校（二高女）の少女でつくった白梅学徒隊だけではなく、ほかの八つ、すなわち沖縄師範学校女子部と県立第一高等女学校（一高女）の女生徒たちでつくった「ひめゆり学徒隊」、そして県立第三高等女学校（三高女）の「なごらん学徒隊」、県立首里《しゅり》高等女学校の「瑞泉《ずいせん》学徒隊」、さらに私立積徳《せきとく》高等女学校の「積徳学徒隊」、私立昭和高等女学校の「梯梧《でいご》学徒隊」、そして県立宮古高等女学校の「宮古高女学徒隊」、県立八重山高等女学校の「八重山高女学徒隊」、さいごに県立八重山農学校女子の「八重農学徒隊」の生き残った少女たちがすべて集まり、そこに両陛下があの深きも深くていらっしゃる眼差しと、ご真情溢れるお言葉を直《じか》に、くださる。

まさしく沖縄が本土と意図的に分断されてきた敗戦後の歴史を超克《ちょうこく》する、その始まりの時となる。

仲井眞知事からの電話

カウントダウンが始まろうとするある日、仲井眞知事からわたしの携帯に電話が入った。

何気なく出ると「青山さん、両陛下の行幸啓のお話は、キャンセルになりましたよ」といきなり知事が言った。

わたしは声が出ない。

「宮内庁からね、断ってきました」

「なぜですか」

「宮内庁がよく調べたら、あの白梅の塔の敷地には、名前の分からない遺骨を集めた納骨堂もあるし、個人の陸軍士官の墓もある。そうした場所には行幸啓になれないそうですな。まことに残念ですが……」

白梅の塔の敷地は前述したとおりに広い。

敷地の向かって左奥には、確かにまず無名のご遺骨の納骨堂がある。なぜなら、あたり一帯は惨《むご》たらしい沖縄戦のなかでも、もっとも苛烈《かれつ》な戦いがあったところだから一面にご遺体、そしてご遺骨が散らばった地域なのだ。

そして名を明記した帝国陸軍士官の墓もぽつんと建っている。わたしは白梅の塔、白梅学徒隊の自決壕にお参りするたび、一度も欠かさず、この納骨堂と陸軍士官のところにも祈りとお水を捧げてきた。

そんなことが邪魔になるなんて。

現実とも思えなかったが、当事者中の当事者、沖縄県知事が準備のさなかに仰ることだから、わたしは受け容れるしかなかった。

そして、このわたしこそが反省せねばならない。

ここから数日間、落ち込んだからだ。

長年の歩みが一瞬にして打ち消されたこともあるが、それよりも、あの静かにうつむきつつ両陛下の行幸啓にふかい感謝を述べられた中山きくさんたちの気持ちを思い、沖縄が分断克服の尊い機会を喪《うしな》ったことを思い、数日間は、ほんらいの危機管理・安全保障の実務やメタンハイドレートの実用化への仕事、原稿執筆にテレビ・ラジオ・講演、近畿大学経済学部での授業、それやこれやのルーティンワークこそ変わりなく遂行はしたが、知事の言葉を各所で確認することはしなかった。

とてもその気になれなかった。意志薄弱である。

「知事は騙されています」

しかし数日が経つと、いまだに胸に据え置いている記者魂がやっと目を覚ました。

話がおかしくないか。

そもそも羽毛田宮内庁長官が陛下に上奏なさる前に、宮内庁は当局者の現地派遣も含めて白梅の塔を十二分に調べている。

それなくして、長官が陛下に上奏するなどということは絶対にあり得ない。

仲井眞知事への自分の信頼がむしろ邪魔をしている。これは一方の当事者に確認すべきだ……とようやくにして、気がついた。

そこですぐ宮内庁の直接担当の幹部に連絡すると、答えはこうだった。

「青山さん、違いますよ。話がまったく逆です。沖縄県の方から突然、断ってきたんです。敷地の中に、無名のかたがたの納骨堂と、個人の陸軍士官の墓があるから遠慮しますと言ってこられた。宮内庁としては『そういう場所には両陛下は何度も行幸啓されています、そんなことを論《あげつら》っていては、どこへも行幸啓なされなくなります。問題ありません。予定通りやるべきです』と、はっきり答えたのに、県庁が頑《かたく》なに、いえ、ご辞退しますと、こうなんですよ」

こう答えたのは、羽毛田長官ではないが、宮内庁の幹部陣のなかでもっとも沈着冷静で客観的な人物であり、話に誇張、ましてや嘘などを交える人ではない。

わたしはすぐに、ほかの関連省庁の良心派にも確認した。この答えが真っ直ぐな真実だった。そしてこの土壇場キャンセルが、仲井眞知事から来たものではないことも把握した。

わたしは知事の携帯に電話をした。

県庁の代表電話では、知事に繋いでくれない恐れすらある情況だと考えた。

「知事、まことに恐縮至極ながら、知事は騙されています」

「えっ」

知事は、わたしがふだん、騙すとか騙されたとか、そういう言い方をしないし、陰謀か何かのせいにして逃げるような話をしないことを、良く知っている。

「騙されたって、何ですかそれは青山さん……」

「白梅への行幸啓は、宮内庁が断ってきたのではなくて、知事、失礼ながら知事の足元の県庁内部のある局長さんが勝手に宮内庁のまず総務課長に、辞退を通告したのですよ。そして話を駄目にしておいてから、仲井眞知事に、宮内庁が断ってきたと嘘を言ったのです」

仲井眞さんが電話の向こうで青ざめたのが、はっきり伝わってきた。

「青山さん、分かりました。調べます。調べて返事をします」

「わたしは、その県庁のお役人たちを叱って欲しいのではありません。まだ間に合うかも知れないから、どうぞ、客観的にお調べになって欲しいのです。調べが付いたらすぐに連絡をください。沖縄県の本意ではないことを、わたしからもすぐに宮内庁に伝えますから」

いったん電話を切った知事から、まもなく携帯に連絡してきた。

「青山さん……信じがたいことですが、あなたの仰ったことが事実です。局長が白状しました」

わたしは即座に言った。

「その局長を、ここへ、東京へ寄越してください。これまではずっと、わたしが沖縄に通いました。今回は直ちに、その人物を寄越してください」

そして局長とその部下のふたりが、待ち合わせ場所の衆議院議員会館の会議室にやって来た。わたしは当時、国会議員ではなかったが他の案件でそこにいた。

「あなたがたがなぜ妨害したか。その理由が分かりますよ」

わたしはふたりに言った。ふたりは伏せていた顔を同時に上げた。

九の章　祖国の沖縄　その六

（承前）

日本はかつての東西ドイツ、現在の朝鮮半島よりも分断された国家だ。目には見えない、心と頭の分断だから、より深刻なのである。

その分断の象徴のひとつが、祖国の別《わ》けがたい大地である日本国沖縄県の現実だ。

まだ恋も知らなかっただろう少女たち、戦前の二高女（沖縄県立第二高等女学校）の生徒が沖縄戦で追い詰められ、自決した。

その壕のある「白梅《しらうめ》の塔」は、観光地にされている「ひめゆりの塔」とあまりに対照的に沖縄県民にも長く忘れ去られていた。

この痛惜《つうせき》の地を、天皇皇后両陛下が初めて行幸啓《ぎょうこうけい》なさることがいったん決まった。

ところが沖縄県庁の幹部職員ふたりが知事を騙してまで勝手に宮内庁に返上を願い出た。両陛下のすべての行幸啓は、地元の要望があってこそ実現する。この妨害の一撃で、何もかもが暗転した。

行幸啓がやっと戦争を終わらせる、それを願っての長い年月《としつき》の知られざる努力を壊してしまった幹部とその部下（当時）に、わたしは言った。

「理由は分かりますよ」

伏せていた顔を、驚いたように上げた幹部の眼を見て、言葉を続けた。別段、平静を装うつもりもなかったが、自然と淡々とした物言いになった。

悲痛の思いは胸の底にあった。しかし同時に、今さら吃驚《びっくり》はしない。これも、わたしの知る沖縄、仮に片思いでも愛し続ける沖縄なのだ。

「ぼくには分かります。あなた方は沖縄戦の被害者として振る舞いながら、白梅の少女たちを忘れ果てていた。それを加害者のはずの本土の人間に指摘され、それも二十年、三十年を掛けて指摘され、ついに天皇皇后両陛下が行幸啓なさることになった。そんなことをされたら、沖縄県庁が沖縄戦の大事な真実を、一部とはいえ忘れていたことが天下に晒《さら》されてしまう。それは敗戦後の沖縄の歴史からして、非常に都合がよろしくない」

「知事は政治家だからやがていなくなるけれど、役人は一生、県庁にいなきゃいけない。だから、自分たちを守るためにもやったのでしょう」

わたしは、この時の幹部の一言を今も大事にしている。

「その通りです。どうして分かりましたか」

そんなことはありません、単なる事務的な手続きの行き違いですと弁明するのが、官僚の常である。

ぼくら共通の責任

しかし幹部は、そうは言わなかった。その部下も顔を上げて、一心にわたしの眼を見ている。

かすかな救いを感じながら続けた。

「長いあいだ、沖縄に通ってきましたからね。あなたがたの眼を見ていれば分かります。ぼくは怒っていると思いますか？　怒っていません」

ふたりは生唾を呑み込むような顔になった。

「そのうえで、陛下の大御心《おおみこころ》、お気持ちも考えてください。皇后陛下のお気持ちもお考えください。白梅の少女のことを考えてください。誰か自分のために決めたり、行動なさった人がいらっしゃいますか？」

「みなさま、ご自分以外の人のためになさったのに、どうしてわたしたちは、たった一度、戦争に負けただけで、人のために生きることを肝心なときにできないように変わってしまったのでしょうか？」

「おふたりに、これだけは言わねばなりません。何をなさったのか、ほんとうにお分かりですか。白梅の自決した少女たちにとっても、生き残られた白梅同窓会のみなさんにとっても、九つあった学徒隊のなかで、ひめゆり学徒隊以外はほとんどみな、忘れられてきた、その苦しさ、無念をやっと克服できる機会だったのですよ。白梅の塔の敷地は広い。ひめゆり学徒隊の生き残りのみなさんも含めて、九つの学徒隊が一堂に会して、両陛下にお目に掛かり、お言葉を頂く。それがどれほどにかけがえのない、和解と共感の場であるのか。自決した、すべての学徒隊の少女にとっても、ようやく報われる場になったでしょう。それを永遠に喪《うしな》わせるとしたら、その罪の深さと重さに、身震いが起きませんか」

ふたりはじっと動かない。黙している。

「あなたがただけが悪いのではない。ともに歩んできたぼくら共通の責任だから、もう一度、ぼくは宮内庁に連絡をするので、なんとかやり直しができるように一緒にやりましょう。宮内庁の担当責任者に会いに行ってください。急がねばなりません」

敗戦後の沖縄県では、沖縄戦の被害者でいることが一部の人には既得権益となってきた。それを今さら壊せないという意識も、県庁の生え抜き職員たちを縛っている。

もうぎりぎり、これしか無い

わたしは白梅の少女の生き残りのかたがただけではなく、数知れない沖縄のひとびとと対話してきた。沖縄の生の現実は、胸に刻まれている。

沖縄県庁から急ぎ、東京にやって来た幹部とその部下は、不肖わたしの言葉を聞き入れてくれて、その場から宮内庁に向かった。

ところがまもなく苦しげな連絡があり、「宮内庁は、もういったん県が返上した話の蒸し返しは受けられないと、誰も会ってくれません。中に入れません」と言う。

わたしはもう一度、宮内庁の側に接触し、高官がこのふたりに会ってくれるように頼み込んだ。

そしてやがて、宮内庁の高官はわたしにこう言った。

「県庁からのふたりに会いましたよ。もう一度、両陛下をお迎えしたいという話も聞きはしました。しかしね、天皇皇后両陛下にお話をしてしまったあとだから変えられません」

わたしは、ほんとうはとても食い下がる気になれなかった。

それでも報われざる献身をなさった、まだ十五歳や十六、七歳の少女たちの遺した写真のお下げ髪やおかっぱ頭の顔が目に浮かぶ。そして沖縄戦の前に硫黄島《いおうとう》でやはり報われないと知りつつ、後世のまだ見ぬわたしたちのためにこそ二度と甦《よみがえ》らない命と人生を捧げてくださった普通の日本男児の姿も目に浮かぶ。戦争の末期であったから硫黄島のおよそ二万一千人の守備隊のうち職業軍人は千人ほどしか居なかった。だからサラリーマン、教師、雑貨屋のご主人、さまざまな私たちと同じ庶民が戦ってくださったこと、それが胸に押し寄せてくる。

ここで諦めるわけにはいかない、現実にただ屈するわけにはいかない。誰も知らない、当時、社長を務めていた独立総合研究所の社員も知らない交渉を続けた。しわ寄せで本来のさまざまな仕事に影響が出ないように、ひたすら徹夜を重ねていった。

最後に宮内庁長官の羽毛田信吾《はけたしんご》さんが、わたしに仰った。

「天皇皇后両陛下は、沖縄には行幸啓されます。その際、もはや白梅の塔にはいらっしゃらないけれども、臨時に、ご休憩なさる場所を作りましょう。沖縄の南部戦跡の平和祈念堂の一室です。そこに生き残りの方に行っていただいて、短い時間ではあってもお会いいただくことで、どうでしょうか。それを白梅同窓会のかたがたに相談願えませんでしょうか。会ってくださることで、なんとか青山さんも納得してくれますか？」

わたしは睡眠を求めて白濁《はくだく》しているような頭のまま、両のまなこだけはさっと覚めた。

もうぎりぎり、これしか無いのだろう。

思わず出た本音

長官は、最高の努力を尽くしてくれた。

両陛下の日程は、両陛下に最終案をご諒解《りようかい》いただいたあとは、即、大急ぎですべての関係先に通してしまう。常に万全の警備実施が求められるためもある。いったん決まった日程に、動きの大きな追加日程を入れると全体が崩れてしまう。責任官庁として、宮内庁にその提示はできない。

しかし両陛下が休憩なさる、それも日程の動線の上で臨時の休憩所を作るのなら、どうにか嵌《は》め込むことはできる。

そういう案であることを理解しつつ、わたしの鈍った脳裏には、長官が両陛下に、ほぼすべての経緯を上奏なさり、新たなご休憩を挟むことにご諒承《りようしよう》を頂く光景が、浮かんだ。

せっかく両陛下がご休憩なさるのに、そこに余人を入れ、しかも対話をお願いする。

どれほど異例のことだろうか。

わたしは即座に、「分かりました。白梅同窓会のみなさんには、ぼくからお話しします」と答えて、すべてを引き取った。

別れ際、長官の人柄に甘えて、思わず本音がひとつ口を突いて出た。

「ぼくが納得するかどうかは、まったくどうでもいいのです。白梅の少女たちが、どうお考えになるかだけですね」

冷静で温和な羽毛田長官の顔に、ほんの一瞬だけ、なんともいえない無念の表情が浮かんだ。

あぁ、行幸啓の実現を、魂から願ってくださっていたのだ。

長官は「分かりました」とだけ仰った。

そしてわたしは沖縄に飛び、会長の中山きくさんをはじめ白梅同窓会の女性たちに向き合った。

永年、沖縄戦を後世の人々に伝えるために力の限りを尽くされてきたみなさんである。

最初はちいさな石積みだった白梅の塔を、今はこんなに立派な慰霊の塔になさり、石積みに詰め込まれていた同級生の真っ白な骨を、頑丈な納骨堂を造って移された、みなさんである。

わたしが僭越《せんえつ》ながらぎゅっとハグをすると、この両腕のなかで、ほんとうに十五歳、十六歳、十七歳の少女に戻られる。

いったん決まった行幸啓が土壇場で無くなり、その代わりの面会になったことを伝え、しかし県庁の作為については何も言わなかった。

中山きくさんは、沖縄の少女らしい明るい大きな眼を、かすかに曇らせた。何かの異変を感じられたのだろう。
そして静かに「そうですか」とだけ仰った。
この白梅のみなさんと両陛下はどのようにお会いになり何が起きたか。
以下、次章に譲る。

十の章

祖国の沖縄　その七

沖縄戦で手足が千切《ちぎ》れ、頭は割れたわたしたちのわずか八十年前の先輩を、看護してくださったのは、当時のまだ恋も知らないような沖縄の女生徒たちだった。今は日本兵とひとからげに呼ばれる戦死傷者の大半はサラリーマンや教師、農家の人といった普通の庶民だった。沖縄戦は一九四五年三月から六月の大戦末期であり、職業軍人の多くはすでに戦死していたからだ。

アメリカの侵略を食い止めようと自らの人生を捧げてくださった庶民が腸《はらわた》が飛び出たまま死を迎えるとき、少女の献身がどれほどに魂を救っただろうか。

その十五歳から十七歳ほどの少女のうち「ひめゆり学徒隊」だけはよく記憶され、その自決壕は観光地ともなっている。沖縄県立第一高等女学校（一高女）と沖縄師範学校女子部、いわば時代のエリートの生徒たちだったからだ。

ところが二高女、三高女、私立、そして農業専門学校の女子の学徒隊（敗戦後に学徒看護隊と呼ぶようになった）の八つは、ほぼ忘れ果てられた。

平成十六年に国民保護法が施行されたとき、沖縄県庁と総務省からの依頼を引き受け、わたしは那覇の討論集会で講演し、県民からの質問を受けた。その当時も「戦前の国民総動員法の復活だ」と反対が吹き荒れた。その十一年後に、安保法制程度の水準で「戦争法だ」といきり立ったのと同じである。

ほんとうは、日本はこれだけ長く国家を続け、社会保障による国民保護は足らざる点はあってもそれなりに、行ってきた。ところが命を直《じか》に左右する安全保障では、一度も国民保護を国が遂行したことはなかった。

だから東京大空襲はひと晩で十万人を超える死者を出した。有事の避難誘導を考えたことがなく、市民は国民学校（小学校）のグラウンドに避難し、そこに校舎を通過した炎が集まって市民を焼き、炎に追われた母子が隅田川や江戸川に入って、赤ちゃんが凍死し、絶望した母も流された。これを六十年近くを経てようやく省《かえり》みて、初めて、テロや有事に備えて事前に避難路を決め訓練もする、それが国民保護法だった。国民総動員の真逆である。

しかし反対を掲げる沖縄県内の労組幹部が「おまえは講演のレジュメに、しろうめの塔などと書いている。こんなものは実在しない。女生徒の自決壕は、ひめゆりの塔だ」と大声を上げられた。

「しろうめではなく、しらうめ（白梅）です。沖縄県立第二高女の校章でした。その白梅学徒隊の塔も自決壕も、間違いなく実在します。ひめゆり学徒隊の塔と違って、みなさんにも忘れられているだけです。壕のそばには、自決之壕という大きな文字を掘り込んだ石碑もあります」と答えた。この労組幹部だけのことでは全くない。たとえば地元タクシーの運転手さんでも白梅の塔の場所を知るひとは、いまだに少数派だ。

本土のわたしたちはもっと知らない。わたしもかつて新人記者として沖縄を訪れたとき、例外的な個人タクシーの運転手さんにたまたま出逢い、「沖縄県民だって、本物の沖縄戦を忘れているんです」と白梅の塔に連れていってくださり、以来、数十年のあいだ通い続けているだけのことだ。

わたしの祈りと願いのひとつは、沖縄戦をめぐって「加害者の本土」と「被害者の沖縄県民」に分断することを日本国民が超克《ちょうこく》することにある。

そのための試みのひとつとして、天皇皇后両陛下（当時）に初めて「白梅の塔」に行幸《ぎょうこう》啓《けい》いただくよう一民間人ながら働きかけ続け、宮内庁や警察庁の良心派と仲井眞《なかいま》沖縄県知事（当時）の理解に支えられ、ついに決まった。

ところが信じられない暗転が待っていた。

両陛下が深々と頭を下げられた

沖縄県庁の幹部が仲井眞知事をも裏切る妨害工作を秘かに行い、話が潰れた。

その県庁幹部もわたしは許し、説得し、宮内庁などにも繰り返し働きかけ直し、実現した「代替策《だいたい》」が、両陛下が沖縄に行幸啓されるとき本来は予定になかった休憩をしていただき、白梅学徒隊の生き残りのかたがたとお会いくださることだった。

白梅同窓会の中山きく会長をはじめ、みなさんには真相を話さなかった。誤魔化すのではない。沖縄に、新たな悲しみや紛争の種を蒔くわけにはいかなかった。

だから、きくさんたちは、いくらか不審そうではあった。しかし、わたしを信じてくださって当日、背筋を伸ばして南部戦跡の一角、平和祈念堂へ三人で出かけてくださった。

きくさんたちによると、両陛下の臨時のご休息所となった部屋は狭く、両陛下と、わずか三人だけ許された白梅同窓生でいっぱいになった。

きくさんは代表して、忘れられた学徒隊から見た沖縄戦と、敗戦後の日々を両陛下に話された。天皇陛下（当時）がまず「おいくつになられましたか」と尋ねられ、そのあとは両陛下はじっと黙されたまま、聴き入られたという。

そして、きくさんたちに真っ白な菊の花束を贈られた。

ここまでが予定されたことだった。きくさんたちが、その花束を白梅の塔に持ち帰り、集まった複数の学徒隊のみなさんと共に、自決した同級生に捧げることになっていた。

宮内庁の侍従《じじゅう》から、きくさんたちは、退去を促《うなが》された。

このままでは帰りたくない、十代のなかばで命を散らした同級生のために何かが足りないという気持ちを抑えて、退室しようとしたそのとき、皇后陛下（当時）が一歩、きくさんたちに近づかれた。

「白梅の塔は、どちらの方角ですか」

首をわずかに傾《かし》げられ、そうお尋ねになった。

あまりに自然なお声に、きくさんは緊張することもなく慌てることもなく、こちらですと、正確な方角をお示しした。

すると両陛下は、まるで事前に入念なお打ち合わせを二人でなさっていたかのように、揃ってその方角に向かれ、深々と、永遠の時のように長く、頭を下げられた。

きくさんたち白梅同窓会のみなさんは「学徒隊がみな報われた」と感じ、心残りなく退出することができたという。

人間の大切な本物の知性

わたしは、この日のあと、少し時間を置いてから宮内庁の当局者にこの出来事を話し、「予定されたことでしたか」と聞いた。

当局者は静かな眼をして「いいえ」と答え、「両陛下がすべてを呑み込まれて、おふたりで話し合われて、お決めになっていたのではないでしょうか」と言った。

わたしは今、こう考えている。

現実に妨害は行われた。しかし「白梅の塔への両陛下の行幸啓が実現して、それで良しとすべきではない」という天の意思ではないだろうか。

天はすべてを知っている。

その天がキリストなのかアッラーなのか別の神々なのか、わたしは知らない。あえて定めずにいる。

しかし人智を超えた何かが存在しているというのが、人間の大切な本物の知性ではないか。

なぜならその天のもとでは、いかなる嘘もお世辞も意味を喪うからである。

天はすべてを知って差配する。

沖縄戦の真実を求める試みをこれからも続けよ。終わりにするな。白梅の少女のために、ひめゆりを含めてすべての学徒隊の少女のために、そして生き残ったすべての沖縄県民と、そこから生まれた現在の県民と、沖縄を護るために全国津々浦々《つつうらうら》から集結したすべての英霊のために、真実を共に問い続けよ。

その意思を示すために、天が行幸啓の実現を先に延ばしたとも、わたしはごく自然に思慮している。

わたしは、ひとりの民間人の限界を自覚し、白梅の塔に集中して関わってきた。

忘れられた学徒隊は他にもまだ七つある。少女たちが報われるためには、広範なかたがたの関わりも必要だ。

わたし自身の重い責任についても、いつも考えている。

中山きくさんはわたしに、何度かこう語られた。

「沖縄戦について、わたしたちが語り部として伝えてきたことのなかで、新しく考えるべきことがあるということなのでしょうか。青山さんに、そこを聞きたいのです。それは戦後の沖縄の歩みについても、そうなのでしょうか」

言葉の通りではない。

しかし趣旨としては、すこし低い声で何度も、そう聞かれた。

わたしは「きくさんたちも、自決なさった同級生のかたがたも、軍国主義に騙されたのではありません。ぼくら本土の先輩とも一緒に、ひとのために生きたのです」と答える。

これは、人生の先輩でもある中山きくさんたちの長い歩みを、あまりに僭越《せんえつ》なことながら、一緒に考えましょうという問いかけでもある。

わたし自身も含めて、日本のただ一度の敗戦後に生まれたわたしたちはひとり残らず、きくさんたちとすべての英霊の献身によってこそ、現在の生を享受している。

白梅の塔の存在を長年、ささやかに訴え続けて、マスメディアにもいくらか知られるようになった。すると白梅の塔の生き残りのかたがたを安保法制反対の象徴として利用しようとする動きも出てきた。たとえば朝日新聞にも、その動きがある。

永遠の少女たちを、日本国民をさらに分断するために利用させてはならない。

わたしたち自身がどれほど深く、正確に、まっすぐに沖縄戦を理解するか。それにかかっている。

十一の章　沖縄から世界へ　日本の出番

沖縄の苦悩は深まっている。

那覇市に聳《そび》え立つ県庁はもはや沖縄県民の県庁ではない。言いにくくても言わねばならない、中国の野望の拠点かのようになりつつある。

こころある県庁マン、県庁ウーマンたちも、少なからぬ県民と共にどれほど苦しんでいるか。

中国は前知事時代に「この仲井眞《なかいま》弘多《ひろかず》知事は、元は帰化人の一族のくせに中国に靡《なび》かない。新しい傀儡《かいらい》知事を探す」と決意した。推測ではない。福岡にある中国の総領事館を拠点とする対沖縄工作の証拠となる議事録をわたしは持っている。

二代にわたる総領事が秘かに那覇に何度も入り、経済人をまじえた秘密会議を開いた。

その席上、「那覇市長（当時）の翁長雄志《おながたけし》なら靡く。自民党の沖縄県連の幹事長まで務めた男だが、自民党中央の扱いに強い不満を持ち、その裏返しで知事の座を射止める野望を持っている」という工作活動に基づく分析を総領事が示している。

そして西暦二〇一四年十一月の沖縄知事選で翁長候補を徹底的に支援することを、中国共産党中央の指示として、こうした秘密会議で下命《かめい》した。

中国の工作活動が日本国の県知事選に水面下で大規模介入するという異様な事態が、こうして起きた。

もちろん翁長知事の支持派は、こうした事情を全否定し「すべて県民の意思」と強調する。公平を期すために記しておきたい。ただ次の事実を改めて考えたい。

本書で一度、述べたように翁長さんは知事に当選後、四月に訪中され、李克強総理と自治体首長としては異例の直接会談を実現した。中国はあからさまに歓待してみせた。

安倍総理にはちゃんと頭を下げて挨拶すらしなかった翁長知事は、この外国の総理、李克強さんには最敬礼をされ、まるで中国の皇帝に冊封《さくほう》された琉球王のごとく眼も上げずひれ伏すかのように、「那覇と福建省のあいだに定期の航空便を開設していただきたく」と願い出た。

李克強さんは、実は中国共産党内では習近平国家主席に経済改革を阻止され、顔色《がんしょく》を失っている立場だ。

だが、このときは上機嫌で頷き、しかも「開設する」という言質《げんち》は取らせず、その後の翁長さんの姿勢を見て決めることを匂わせた。

この定期便の開設という案こそが実は、福岡駐在の中国総領事の発案であり、翁長さんが当選する前に耳打ちしたアイデアであった。

工作員と観光客の区別

李克強総理との会談が実現したのは、翁長さんと共に訪中した日本の親中派の頭目のひとり、河野洋平元衆院議長の仲介による。しかし一面では河野さんはただのダミーに過ぎない。ほんとうは共産党の命を受けた総領事の工作活動の一環である。

そして、この那覇と福建省福州市の定期便は、本土のマスメディアはほとんど報道しなかったが、西暦二〇一五年七月に現実に開設され中国東方航空の乗り入れが始まった。しかも同月に那覇と杭州《こうしゅう》市の定期便も新設されるサービスぶりで、これで中国本土と那覇の定期便は六路線に達した。

こうして大量の中国人が中国の航空機によって那覇から沖縄全県に入る土台が築かれた。

それは長崎県の対馬《つしま》が、大量の韓国人観光客によって韓国化されようとしている事実と似ていて、さらに規模としては遙かに大きい。

沖縄県内の経済界には、これも報道されないが翁長県政への強烈な批判が膨らんでいた。普天間問題だけに県政が集中してしまって、沖縄経済の先行きが不安だからだ。翁長知事は、その批判が表面化しないよう、チャイナマネーの導入で沖縄経済を中国化しようとしたとも言える。翁長さんのあとの玉城知事が全く同じことをしているのに、あらためて愕《がく》然《ぜん》とせざるを得ない。

ふたりの知事がなぜ、瓜ふたつなのか。両方とも中国共産党に実質的に「指導」されているからだ。

飛行機から那覇に降り立つのは多くが観光客にみえるが、もちろん工作員と観光客の区別はつかない。

決定的な事実とも言えるのは、前述した中国の総領事による那覇秘密会議で、中国共産党の聖なる直接指示として出されたひとつが「沖縄からの米軍の放逐《ほうちく》」であったことだ。

これも推測ではなく証拠が、前述の議事録の中にある。

翁長、玉城の両県政が目指しているのは、海兵隊を辺野古に移すことを阻むだけではなく、反米軍運動を盛りあげて、日米同盟を沖縄では空洞化することにあると考えざるを得ない。

わたしたちは今、敗戦国日本から脱して、国家国民の新生の哲学と理念を構築する途上にある。だからこそ、このささやかな本書もある。しかしそれは、リアリズムを外し理念と称して幻想に走ることではない。

「移設でこんなに揉《も》めるのなら、いっそ米軍に出て行ってもらって日本独力で守ればよい」と考えるのは簡単だ。中国はそれを待っている。

中共と人民解放軍が仕掛ける「三戦」

中国は、その永い諸王朝支配の歴史のなかでも侵略軍で外国を直接占領する例は、むしろ稀である。漢人の軍は基本的に弱いからだ。チベット国や東トルキスタン共和国（ウイグル）への直接侵略は、現代の共産党王朝が執着する例外と言ってもいい。

米軍が仮に沖縄からいなくなっても、中国軍が無理に入ることなど中国共産党という王朝といえども考えていない。

日米同盟なきあとの沖縄に自衛隊だけが残るのなら、それは与《くみ》しやすしと中国はみている。わたしは中国人民解放軍の将軍や、共産党のブレーン、社会科学院の幹部らと中国で議論を重ね、その実感を持った。

自衛隊が舐《な》められているのではない。日本政界が舐められている。与党の要衝《ようしょう》に親中派をずっと擁していることに中国共産党は深い自信を持っている。また日本が法治国家であり、自衛隊の内部にどのような考えがあろうとも政治が法に基づいて命じることをすべてそのまま聞くことも、中国は良く知っている。

そして二度の世界大戦を経て、単独で防衛を図る国は主要国にない時代となっている。だから国連憲章に集団的自衛権が書き込まれ、世界の常識になっている。わたしたちが目指すのは、アメリカとの対等な同盟、真の同盟であり、孤立して中国に付け込まれることではない。

中国共産党と人民解放軍の仕掛ける銃火なき戦争、すなわち「三戦」（世論戦、心理戦、法律戦）が複雑な顔を持っていることを知らねばならない。恐るべきことに、日本を愛するという仮面すら用いているのだ。そこから単独（孤立）防衛論や反米愛国主義という引き出しを日本の世論の深部に作り、米軍という難敵を日本から引き剝がす工作を日々、続けている。

人のために生きる哲学

わたしたちの古来の生きる哲学とは、人のために生きる哲学である。皇帝を筆頭に私利私欲で生きてきた中国に、この哲学は無い。無いからこそ、どんな時には日本人といえども私利私欲が頭をもたげ、おのれ自身を支配するかを良く考えている。

不当に軽視され、きちんと遇されていないと不満を持つ時がそれだ。中国は自民党沖縄県連の歴史を知悉《ちしつ》し、幹事長まで務めた翁長さんが国政進出も知事立候補も認められていなかったことを徹底的に活用した。

普天間問題に絡んで、翁長知事はしきりに「沖縄差別」と発言した。さらに国連の人権理事会という場違いな場に県民の費用で出張し、沖縄県民を知事みずから「先住民」と扱って「差別を受けている」と世界にアピールする恥さらしをやってのけた。

この恥辱を本土と沖縄のマスメディアは「人権を守れと訴えた」と一斉に報じ、若き沖縄県民の我那覇真子《がなはまさこ》さんが同じ場で「わたしたちは先住民ではない。日本国民として高度な人権が護られている」という趣旨を明快に訴えたことは、ほぼ無視した。

翁長知事のこの言動は多くのひとにとって理解しがたい。あえて申したい。わたしには切実に、翁長さんの胸の奥深くが伝わってくる。

翁長雄志さんは、実は沖縄県民のことを言っているのではない。ご自分のことを仰っている。「俺は中央から差別された」としきりに訴えているのである。

そして、「沖縄をみごと独立させたら、初代の琉球王にしてやる」と言わんばかりの中国のささやきに陶然《とうぜん》とする。

まさかと思う人は、政治的人間ではない人である。

人間はすべて政治的なのではない。ひとつの個性として「政治的人間」の一群も存在する。

わたしは共同通信政治部の記者の時代に、国会議員という名の政治的人間に接し、もっとも大きな政治的エネルギーのひとつが「俺は、私は、正当に評価されていない」というルサンチマン（怨念）だと知った。

翁長さんはその典型である。その事実をいちばん正確に直感しているのは、苦労人の菅《すが》義偉《よしひで》さんだ。翁長さんご自身は、おそらくこの自画像にほとんど気づいていない。気づくようなら、このような自我にはならない。選挙とは恐ろしい制度である。時として、こうやって私《わたくし》の人、あるいは自己愛が肥大した人を公のためにと称して送り出してしまう。

そしてこの翁長知事（当時）の行動は、西暦二〇二三年、令和五年九月、玉城デニー知事によって実質的に繰り返された。ジュネーブの国連人権理事会に出席し、普天間基地を名護市辺野古へ移転することは民意無視だと演説した。

これにその場で反論したのは日本政府であり、世界に日本が分裂しているかのように宣伝する効果を持った。

この宣伝を演出したのは中国共産党である。

翁長さん、玉城さんに共通しているのは中国の「指示」による行動だということだ。

共に訪中し、いずれも河野洋平元衆議院議長が同行で、共に国連人権委で反日演説をおこなう。ここまでやっても中国共産党が共通の「指示監督者」であることがバレない、青山繁晴がこうやって告発しても無視されると高をくくっている。

そして中国はなぜこうして介入し、工作するか。目的は明確だ。沖縄を祖国日本から奪い中国化することだ。沖縄県民のみなさん、どうぞ聞いてください。それは沖縄の祖国復帰運動の逆コースである。

哲学とは人間である

実は、わたしは翁長さんのご子息のひとりを存じあげている。翁長知事のご家族については不埒《ふらち》なデマも流布《るふ》されている。翁長さんが知事としてどのような立場であろうと、それは決して許されない。だからこそ記しておきたい。そのご子息は、まさしく私心なきひとである。

このささやかな一冊で述べてきた「白梅《しらうめ》の塔」に、ご子息はお参りを静かに続けている。白梅学徒隊の一員、中山きく白梅同窓会長の信頼も厚かった。人知れず清掃したりお水を捧げたりをなさる。

反面教師という言葉を思い出してしまう。寡黙なご子息がそのように語ったのではない。わたしの勝手な推量にすぎないが、人間は捨てたものではないとも思う。父のルサンチマンを見てきたからこそ謙虚な人柄の日本男児が育ち、白梅の少女たちの支えのひとりになってくれている。

一方、その翁長さんに知事選で敗れた仲井眞さんは、選挙のあと、長く完全な沈黙を守ってきた。それは潔い。沖縄県民の審判を甘受して、敗軍の将、兵を語らずという古武士のごとき姿勢を貫いてきた。

わたしは知事選から十か月近くをかけて、前述した中国共産党の知事選への介入の事実などを把握した。

そのうえで仲井眞さんの携帯電話を鳴らした。「そろそろ語られるべきではありませんか」。わたしは、ほとんどそれしか言っていない。

それでも沖縄県知事を二期、務められた仲井眞さんは、ニッポン放送のラジオ報道番組『ザ・ボイス』の生放送に参加して、打ち合わせなしでリスナー・国民の前でわたしと対論することを、受けてくれた。

最初は「青山さん、わたしは知事選以来、どこでも、なぁんにも、お話ししていないんですよ」と仰っておられたが、やがてごく自然に「わかりました」と言ってくださった。

沖縄から遠路、東京は有楽町のニッポン放送スタジオに登場した仲井眞さんは、すっきりと若返った顔をされていて驚いた。知事の責任がいかに重いか、そこから解放された仲井眞さんの今を感じた。

そして生放送のなかで仲井眞さんはリラックスされ淡々とした語り口で、辺野古移設に必要な海の埋め立てに当時の知事として許可を出したいきさつについて、「法的に瑕疵《かし》はありません。しかし、それだけではなく、沖縄県から徹底的に中央政府に言うべきを言い、求めるべきを求めた結果としての埋め立て許可でした」という趣旨を語られ、翁長知事の許可取り消しを、初めて真正面から論破された。

わたしは、こころのなかでは心配した。「仲井眞さんはこのあと、沖縄に帰られる。お立場は大丈夫か。ここにお呼びしたのは、ぼくの責任だ」

だが、これは杞憂《きゆう》だった。

何とふだんは「反日新聞」とも揶揄《やゆ》される地元紙、沖縄タイムズが仲井眞発言を正当に報じてくれた。

またリスナー・国民からは「仲井眞知事の真意、人柄、公平さが初めて分かった」という反応が非常に多かったことが嬉しかった。

哲学とは人間である。人間性があって初めて哲学が生まれる。古武士《こぶし》が大道《だいどう》を往《ゆ》くがごとき仲井眞哲学が、あの短い放送時間で若い人から高齢の方まで広く深く伝わったのは、まさしく望外のことだった。

その放送からしばらく時間が過ぎるのを待ち、仲井眞さんに電話してみると「なんだか、むやみに好評で」と、いつもの仲井眞節で飄々《ひょうひょう》と、わたしの余計な心配を払拭《ふっしょく》された。

その後、仲井眞さんはどんどん積極的にマスメディアに登場して発信するようになった。翁長さんは無視の構えを貫いた。できればフェアに論争してほしかった。たとえば沖縄タイムズは、不肖わたしの沖縄での講演内容を一面で詳報したこともある。公平であろうとする秘めた努力を感じる。その「沖タイ」が前知事vs現知事の対論を企画してほしかったと思うのは、わたしだけだろうか。翁長さんが鬼籍に入られた今は、もはや空しい。

「第三次世界大戦」の勃発

さて本章の冒頭に記したとおり、普天間問題で停滞する日本の安全保障も突き通すかのように、世界で危機が進行している。

パリ無差別テロが勃発《ぼっぱつ》した当日にフランスのメディアには「第三次世界大戦」という言葉が登場した。

常識的には誇大な表現である。しかし違う。正確な認識だ。

かつての分かりやすい大戦ではなく、世界ではまず目には見えない第三次世界大戦が勃発している。

それはサイバー空間での戦闘だ。中国の政府と軍ぐるみのアメリカの行政府、軍、企業へのハッキングが露見したがアメリカも充分に反撃している。わたしはハワイのアメリカ太平洋軍（当時。現・アメリカインド太平洋軍）司令部を何度か訪れているが、最近は、サイバー戦の指揮官との議論がメインのひとつだ。

そしてこの世界大戦には、もうひとつある。それがテロリズムによる大戦である。

この、もうひとつの第三次世界大戦はアメリカのオバマ大統領が無自覚に遂行してしまっている。

ただし発端は、オバマさんの前任のブッシュ大統領である。

ブッシュ政権は、アルカーイダが9・11同時多発テロを引き起こしたことを口実にイラクに攻め込んだ。

イラクのフセイン大統領は困った独裁者ではあったが、イスラーム教に関してはまったくの世俗派だった。いつも思い出すのは、フセイン政権下のバクダッドでは女性外科医が男性患者の腹を割《さ》いて手術していた事実だ。イスラーム原理主義者からすれば、悪魔の所業である。

異端は異教より憎い。アルカーイダの最大の敵はキリスト教徒よりもフセイン大統領だった。アルカーイダに対抗するにはフセイン大統領とも手を組まねばならないような場面で、ブッシュ大統領は油欲しさに外国の大統領であるフセインを捉《とら》え、処刑した。

この処刑によって、フセイン政権に抑えつけられていた過激派が跳梁跋扈《ちょうりょうばっこ》するようになり、やがて旧フセイン政権の軍人、官僚らと水面下で結託を実現し、それが遂には、自称イスラーム国（ＩＳ）として登場する。

その前にブッシュ政権はフセイン大統領の正規軍には簡単に勝ったが、その後を支配したテロリストには勝てない。テロリストは制服もなく司令部も曖昧《あいまい》で、正規軍の米軍にはどうやって戦えばよいか分からず、手製爆弾で吹き飛ばされてアメリカの若者が四千五百人も戦死した。それでも「若者を戦地で死なせない」という約束はできない白人の大統領候補を尻目に、オバマさんはそれを約束した。だから初の黒人大統領が誕生した。

オバマさんは自称イスラーム国の暴虐にも地上軍、すなわちアメリカの若者を戦地に送ることができず、無人機を含めた空からの攻撃だけに留めていたから自称イスラーム国はどんどん勢力を伸ばした。

そのアメリカの空白を見てロシアのプーチン大統領が、今度は自称イスラーム国をやっつけるという口実で、実際はシリアの反政府軍への爆撃を始めた。アサド政権を守ってロシアの傀儡《かいらい》政権にし、シリアが面する地中海に進出するためだ。

プーチンさんにとって自称イスラーム国はダミーの攻撃目標に過ぎなかったから、さすがのプーチン大統領も油断していた。そこを突かれてロシアのチャーター機を、史上初めての「インサイダー航空テロ」で爆破された。インサイダー、内部協力者、すなわち空港職員が機内に荷物を積み込む時に小型のプラスティック爆弾を複数、紛れ込ませた恐れがある。

これが成功したために、自称イスラーム国は国際テロを繰り返すことで諸国の世論を動かし攻撃をやめさせようと考え、空爆していたフランスを狙うテロを引き起こした。

それも「帰国テロ」、例えばフランスで生まれて、移民の親から不平不満を聞かされて育った若いムスリム（イスラーム教徒）をいったんシリアに入れて自称イスラーム国の戦闘員として人殺しに慣れさせ、フランスに帰国させて起こすテロ、そしてシリアから端を発した大量の難民にテロリストを紛れ込ませる「偽装難民テロ」、いずれも、わたし自身も含めたテロ対策実務者が懸念していたテロを正確に実行してしまった。

新しい哲学

テロがシリア、イラクから世界に広まる以上、国際連携で対処するしかない。だから西暦二〇一六年、日本の伊勢志摩で開いたサミットは密かにテロに狙われていた。集まる七人の首脳のうち、キリスト教国ではないのは日本だけ、安倍総理だけだった。独特の役割がそこに生まれた。

その日本のマスメディアが「テロリストにも言い分があるから対話せよ」という、あまりにも愚かな誤りを広めるのを、まず視聴者・国民の声で止めねばならない。

日本の役割を果たすことを総理大臣に期待する前に、わたしたち自身がやるべきことをやろう。「テロリストと話し合え」と言った瞬間に日本の国際連携は失われる。世界の非常識そのものだからだ。

さらに日本だけが安全になるのでもない。逆だ。与《くみ》しやすしとみられると、中国が日本を侮《あなど》っているのと根っこは同じことが、より直接的な暴力としてテロリストに起きる。

一方、俗論を超克《ちようこく》していく努力は必ず、日本の敗戦後社会の思い込み、特にアメリカ占領軍から戦略的に刷り込まれた思い込みを脱していくことに繋がる。

新しい哲学は、危機に直面した人間から、最初の産声をあげるのだ。

シリアに侵入したロシアは、地中海への出口を確保した。地中海はイタリア、ギリシャに面した明るい海というイメージだけが、わたしたち日本人には強い。しかし地中海沿岸を広く歩いて、わたしは、国家が崩壊したままのリビアをはじめ北アフリカ、そして子供や女性を巻き込んだ虐殺の絶えないシリア、パレスチナにも面している現実に直面した。

そしてロシアのプーチン大統領は、地中海への出口がひとつでは不安で、もっと大きく、安定した出口を求めた。

それがウクライナ戦争である。

ウクライナはクリミア半島、重要港のオデーサと黒海に面している。黒海はイスタンブールを経て地中海と繋がっている。

こうして世界の新しい危機は、パリからウクライナへと負の連鎖をつくってしまっている。

十二の章　心の分断国家を超克する

世界の崩壊に、ひとつの新しい備えを日本が確立したのが平和安全法制だった。

安保法制は最後まで、国民をどうやって護るかよりも、憲法に違反するかしないかが争われた。

マスメディアによってスターにされた学生が金髪を黒く染め戻して公聴会に現れ、「憲法に違反しているから国民無視の法案です」との趣旨を穏やかに述べ、その後のデモではアジ演説にみずから酔うかのように別人のごとく絶叫した。

その学生の主張は、同じくマスメディアの手で時代の寵児《ちょうじ》となった憲法学者の学説（もどき）と、そっくりである。

こうしたとき、その憲法そのものも論議されるのが世界の普遍的にして健全な常識だ。憲法もまた、当たり前ながら人間の作ったものであり、良き点も足らざる点もあるからだ。しかし日本の安保法制案の国会審議では一切、与野党ともに論ぜず、マスメディアも無視した。

沖縄の課題にも深く関わることとして本章は短めに、その日本国憲法をもはや右でも左でもなく真ん中から見てみよう。

短くても充分である。憲法学者は不要だ。本来、民主主義国家の憲法は子供でもそのまま理解できるものでなければならない。複雑な解釈論が常に求められるなら、それは欠陥憲法である。

まず最初に分かるのは、百三条に及ぶ長い憲法のなかで、国民と国家をどうやって護るかに触れているのは、ただの一箇所しか無いことだ。

それが第九条である。九条は前半で、武力による威嚇も武力の行使も永久に放棄すると定め、後半では、陸海空軍その他の戦力、つまり軍隊だけではなく国民と国家を護るための力はどんなものであれ一切合切《いっさいがっさい》、保持しないと定め、最後に駄目押しとして〈国の交戦権は、これを認めない。〉と断言している。

つまり国際法が厳然と定めるところの主権国家が国民を護る手段を、すべて自己否定している。

九条にある〈国際紛争を解決する手段としては〉のひとことを頼みに、時の政府権力から憲法学者まで実は「自衛のための手段なら良い」という解釈改憲を繰り返してきたが、子供の頃に初めて憲法に触れて「これは自衛権は別だと認めている」と感じた人が、果たしてどれぐらい居るだろうか。

諸国民とは誰か

安保法制廃案を叫ぶ国会前のデモに参加したひとりが村山富市元総理だ。

その村山さんが総理当時に陸上自衛隊の観閲式《かんえつしき》に臨んで「自衛隊によるシーレーン防衛も大切だ」という趣旨を演説した。共同通信政治部の記者だったわたしが、これを記事にして現場から本社に送るとデスクが電話口で「まさか」と絶句した。

当然だ。シーレーン防衛というなら少なくとも空海の自衛隊が中東まで派兵され、日本のオイルタンカーを武力で護らねばならない。憲法九条のどこにそんなことが盛り込まれているのか。

真実は、九条を含めて日本国憲法の条文には国防の全否定だけが書かれていて、「では国民をどうやって護るか」は一箇所も、一字も、そう一字も書かれていない。

そんなことはあるはずが無いから懸命に探してみると、あった、あった、条文ではなく前文にあった。

〈平和を愛する諸国民の公正と信義に信頼して、われらの安全と生存を保持しようと決意した。〉

すなわち、われら日本国民は家族も、友だちも同胞《はらから》もおのれでは護らず、互いに護られず、「諸国民」に護ってもらうのだ。では、その諸国民とは一体、どこのどなたなのか。

これがもしも「世界中の国々の人々」だと考えるのなら、いくら呑気《のんき》な人でも、現実離れした人でも、あるいは敗戦後の日本社会のジャーナリズム、芸能界や学界、政界などなどで多数を占める自称リベラル派でも「それぞれの抱える問題で苦しむ世界の国民が、なぜか日本国民だけはいつも一生懸命に護ってくれる」と言い切れる人はそう多くないだろう。

「諸国民」ではなく、せめて「アメリカ国民の公正と信義に信頼し」と書かれてあれば、まだ良い。

敗戦国の日本が戦勝国のアメリカに占領された当時に作られた憲法だから、アメリカに頼りなさいという趣旨だと、まさしく子供でも分かるからだ。だが不幸にして、そのような実態通りには書かれず、明らかに英文から翻訳して作った奇妙な美文で粉飾《ふんしょく》されている。

憲法を静かに読み直してみる

わたしたちが生きる基本を定める、大切な憲法は、どこの誰とも知れない正体不明の人々に、愛する者とみずからの「安全」だけではなく「生存」までお任せすると明記し、それ以外にどうやって国民を護るかは何らの定めもなく、百三条の数多い条文を重ねているのである。

この恐るべき事実に右とか左とか、リベラルとか保守とか、何派がどうとか、あるのだろうか。

前述のように憲法も完璧ならざる人間の作りしものであるから、憲法学者の仕事は、その良き点を伸ばし、足らざる点を補い、過《あやま》てる点を糺《ただ》すことを提起することであって、現憲法を永久の聖なる定めとして「違反するか、違反していないか」を判定することでは断じて、ない。

安保法制は原案通りに成立したが、全世界の防衛力の中でただ自衛隊だけが「これだけはしても良い」というポジティヴ・リストを持たされている現実は何ら変わらない。

国民が破綻《はたん》した小さな国家、北朝鮮に拉致《らち》されても、そのリストに「救出して良い」と書かれていないから、国際法が認める自国民の正当な救出であっても自衛隊は何もできないという不当な判断に縛られている。それも、もちろん安保法制があっても変わらない。日本を除くすべての主権国家の安保法制は「これだけはしてはいけない」、例えば、捕虜になった人を殺傷したり苦しめてはいけないというネガティヴ・リストを定めているから、それ以外のことは、国民を護るためになら常に何でもやらねばならない。日本はそれが逆になっているから、北朝鮮にしても、日本国民をどんどん安心して拉致できた。世界の「諸国民」の持つ安保法制のレベルを百とすると、騒擾《そうじょう》の果てにようやく成立した日本の安保法制はまだ一にも達しない。小数点以下である。

わたしたちにとっての最大の意義は、これを契機に、憲法をごく普通に、学者の解釈論なしにそれぞれが静かに読み直してみることではないだろうか。

これまでの立場の違い、主張のぶつかり合いを持ち込まずに虚心に読み、自らの頭で考え直してみればようやくにして、実は日本が「分断国家」であることの克服への道が拓《ひら》けていく。

日本の新聞が「共産党宣言」発出

朝日新聞がこの二十一世紀に「共産党宣言」を発出したことを覚えておられるだろうか。カール・マルクスらが一八四八年に「共産党宣言」を出して百四十三年後にソ連邦が崩壊し、自由なる人間を共産化する幻は終わったか……と思いきや、中国共産党が都合よく経済だけを資本主義に見せかけて共産党の独裁を維持する便法《べんぽう》を編み出した。

しかしそれも中国経済の崩壊現象で終焉《しゅうえん》が見えつつあるなか、さすが天下の朝日新聞をいまだ自認するだけあって、西暦二〇一五年十月十九日月曜の朝刊で共産党宣言を行った。

わたしは皮肉が嫌いである。

子供のころ漫画を読んでいて、まっすぐにモータースポーツや野球の試合に挑む主人公と、真正面からライバルが戦う横合いから、皮肉を言いつつ妨害をする人らが現れると、がっかりしていた。ストーリーの陰影を濃くしようとする作者の工夫を子供心に理解しつつ、その登場人物が唇を歪《ゆが》めて発する皮肉だけは、どうにも読みづらかった。

だから、皮肉かと思われるような言葉を、この原稿に置きたくない。

しかし置かざるを得ないほどに、無残な記事が朝日に載っていたのだった。それは「天声人語」である。そもそも自らのコラムをあろうことか「天の声」と称し、それを弁解するためにか「人語」と補うという奇怪なコラムを教科書に載せる、それを大学入試問題に出す日本社会が間違っている。朝日新聞の天下の大罪が、慰安婦や南京をめぐる虚報で明らかになった今も、このコラムは何ら恥じることなく天の声を演じ続けている。

そして秋の一日の始まりに読まされたこの記事は、まさしく「共産党宣言」なのだ。皮肉と見えるかもしれないが、幸か不幸か皮肉どころではない。

コラムの論旨はこうだ。「日本共産党が呼びかけた『国民連合政府』構想は安保法制を葬るという一点に絞っているのだから、民主党をはじめ野党はこぞって馳《は》せ参じ、安倍政権の代わりに共産党を入れた政権をつくれ」――。

ベテラン記者の書くコラムであるから巧妙なベールも纏《まと》ってはいるが、実際は「安保法制を無きものにすれば連合政府を解消するという時限付きだから、共産党に乗ればいいじゃないか」という罠まで盛り込んでいる。

日本共産党の策略

ＴＰＰ（環太平洋パートナーシップ協定）が大筋合意に達したときの朝日朝刊は、一面の真ん中に署名入りで「すぐに中国に加盟して頂きなさい」という論評を載せた。その朝にわたしは中立の公平な立場を維持しているインテリジェンス（日本政府の情報機関）当局者と会い、思わず「朝日はやっぱり、人民日報の東京版ですね」と、ぽろり実感を口に出すと、ふだん怜悧《れいり》なこの当局者は腹を抱えて笑った。皮肉を言わないわたしが、皮肉めいたことを言ったのも可笑《おか》しかったのだろうか。

しかし中国は、経済全体を占有する国有企業群を民営化せねばＴＰＰには参加できず、それをやれば共産党王朝は崩れるのだ。したがってこの朝日の論評は、「中国を外すなんて」という中国共産党シンパの不平不満を言っただけの代物《しろもの》である。

そして今度は安保法制で、日共の機関紙「しんぶん赤旗」の別働隊を演じている。

安保法制の反対運動で存在感をにわかに増したかに見える共産党は、実は世論調査で支持率を減らしてもいる。この「目立ちつつ警戒される」という情況をしたたかに計算した共産党官僚が持ち出したのが、かつて提唱して、実質上はお蔵入りしていた「国民連合政府」なのだ。

つい先日まで「唯一の健全野党」と自分で強調していたのを説明もなく捨てて、政権奪取に本気で乗り出した。まずは旧民主党とその背後の連合を利用して政権に入り、入ったあとは「民主集中制」という名の日共型独裁を目指す策略である。

共産党の志位委員長は、民主党の岡田代表（当時）と国会内で会談し、政権回復の見通しが皆無という民主党の窮状につけ込もうとした。

これにはさすがの民主党内の保守派も、党内外での長い沈黙を破って水面下では「党分裂に繋がる」と岡田さんに伝え、共産党との連合はいったん、お流れになった。

とはいえ岡田さんは、では民主党はこれからどうするかの理念や戦略の明示も何もないまま浮遊した。その絶妙なタイミングを突いての「天の声」である。

日本共産党にとっては、どれほど有り難いだろうか。「赤旗」紙は党員だけにしかアピールしない。朝日は、正確な実数は分からないが衰えたりといえども、高齢者ばかりだがいまだ数百万の有料購読者が全国にいる。そして「天声人語」を崇《あが》める不可思議な習慣も、日本社会には残存している。

心の分断国家を克服

それだけではない。安保法制は、世界の民主主義諸国の国防法制に比べればまったくの低水準にとどまっている。前述の通り、「これだけはしてもいいよ」という常識外れのポジティヴ・リストであり、国際法がすべての主権国家に保証する「軍事的に、これだけはしてはいけないというネガティヴ・リスト」、すなわち「それ以外は国民を護るためには全てやっていいという定め」には一切、転じていない。

したがって安保法制に書かれていない拉致《らち》被害者の救出もできなければ、尖閣《せんかく》諸島の有効な領海防衛もできず、竹島や北方領土への侵略を終わらせるための外交カードを持つことも夢のまた夢である。

それでもあえて、第一歩と言うよりは助走に踏み出すために、せめて裸足よりは靴は用意しましょうというのが西暦二〇一六年三月から施行された安保法制の実態だ。

しかし中韓、北朝鮮という世界の例外である三か国は、極めて神経質になっている。先の大戦の終結後、反日国家はこの三か国しかない。中国共産党と朝鮮半島の為政者だけが反日であるから、まさしく例外にすぎない三者は、超少数派だからこそ策謀を凝《こ》らしていて、「蟻《あり》の一穴」という人類社会の普遍原則もよく知っている。

どれほど低水準の安保法制であっても、それが日本国民の意識を変えれば、中韓と北がこれまでの「日本を悪者にして閉じ込めておく」という作戦がとれないほどに、現在の自衛隊の実力が外交カードに変わっていく。

朝日新聞が「共産党宣言」を出して、日共と中韓、北を喜ばせたその朝の前日、相模湾で自衛隊の観艦式が挙行された。

世界トップの艦隊行動、たとえば日本海海戦でバルチック艦隊を打ちのめした一斉回頭（大きさも速度も違う艦船がいちどきに素早く同じ角度で転針する）をみせるなか、列の最後に祝賀で付いた外国（豪、仏、印、韓、米海軍）の軍艦は列に正しく並ぶこともできなかった。

ミサイル時代の現代海戦では一斉回頭の技術だけでは勝てないことは言うまでもない。

だが、艦隊行動の見事さの値打ちは変わらない。

心地よい海風の吹く掃海母艦「うらが」の甲板《かんぱん》上で、海上自衛隊の優れた士官のひとりが「青山さん、日本の憲法学者の絶対多数派は、安保法制に反対だけじゃなくて、いまだに自衛隊に反対だと仰っていることが今回を機に初めて良く分かり、さすがに少しは驚きました」と冷静に話した。

わたしは頷きながら、憲法学者や朝日新聞の記者たちを例外とするのでもなく、敵とするのでもなく、むしろ心の分断国家であることをいつか克服していくのは、この士官の眼の奥にみえるような淡々とした日々の献身だと考えていた。わたしと、わたしが初代社長を務めた独立総合研究所（独研）は何も報われることがない。それは、先の大戦で献身なさった日本人の言われざる根っこに、ささやかには通じている。

いったい誰が、おのれが報われることを願って祖国に殉じただろうか。

相模湾の光と風を胸に感じつつ、わたしはそれを考えていた。

十三の章

女と男、変化をいかに生きるか

にんげんは面白いことをする。そのひとつが、時間である。

現代の物理学では宇宙に始まりと終わりがある。ただ一点から爆発によって宇宙は始まり、膨張を続け、たった今すべての星は互いにどんどん遠ざかり、月も毎年四センチ、地球から離れていき、最後には人間がそのとき宇宙のどこに居ても夜空に何も見えなくなって宇宙の一切が冷たく凍りつく。

この理論に従えば、確かに時の流れ、時間というものはある。しかし、すべての開闢《かいびゃく》とすべての終焉《しゅうえん》、この二度以外には、何らの区切りもない。

人間はそこに事細かな区切りを付けた。おかげで何があろうともわたしたちは新年という心機一転のチャンスを手にできる。

西暦で言えば二〇一六年、その西暦より六六〇年も昔から始まっている日本のオリジナルカレンダー、皇紀で言えば二六七六年、そして今上《きんじょう》陛下（当時。現・上皇陛下）の御代《みよ》で申せば平成二十八年、その半ばが過ぎ夏に、まさか国会に出ることになるとは夢にも思っていなかった。

それは単にわたしの公私の事情に過ぎない。

しかし世界は二〇一六年から新段階の崩壊へ突き進んでいった。

それを先取りしたのが、二〇一五年末のフランス州議会選挙だ。パリ無差別テロを引き起こしたフランス社会への不安から、移民・難民の排斥《はいせき》を明言する国民戦線（Front National／FN）がいったん、初めて勝利する勢いとなった。しかし決選投票では伸び悩み、第一党にはなれなかった。これはマスメディアが「極右」だと国民に刷り込んだ政党が本当に勝つ、それへの不安が噴き出したためである。

すぐ年が明け、不安と不安が鬩《せめ》ぎあう新年となった。しかし日本にとって悪いことばかりではない。

FNは、創立者のジャンマリー・ル・ペン党首の時代には党首の暴言癖もあり確かに極右と言われても仕方のない政党だった。だが娘のマリーヌ・ル・ペンが党首となった今は、「新自由主義反対」を掲げて巧みに左派の一部を取り込んでいる。

同時に、非合法活動は行っていないから世界のマスメディアが当然のように「極右」と決めつけているのはアンフェアだ。れっきとした合法政党である。

マリーヌはある種の天才だ。実父と烈《はげ》しく争い、「父はユダヤ人に対する差別主義者だ」

と糾弾《きゅうだん》して親子げんかを演出し、それで党のイメージを大きく変えた。いわば父をダシにしたのである。

それでも変化への不安を消すのは難しく、州議会選の決選投票で勝てなかった。不安をテコにのし上がり、不安に勝てずに頭を押さえ込まれる。

これが世界の新時代である。

既存の秩序では、パリ無差別テロのような新しい危機に対応できないのではないかと有権者・国民は不安になり、タブーを乗り越えようとして、いや、それは怖いと逆の不安が湧きあがって佇《たたず》む。

西暦二〇一六年はこれが世界的に、くっきり浮かびあがる分岐点の年になった。

フランスのユーロ脱退

マリーヌ・ル・ペン党首の掲げる政策は、移民・難民の排斥だけではない。大統領に当選すれば、ユーロを脱退しフランスのオリジナル通貨フランに戻る。さらにEU（ヨーロッパ連合）の根幹であるシェンゲン協定からも脱退する。

シェンゲン協定はＥＵ加盟国のあいだの移動の自由を保障している（島国ふたつ、すなわちイギリスとアイルランドなど例外を除いていた）。この協定とユーロを抜ければ、フランスは仮にＥＵに留まっても、もはや実質的には脱退に等しくなる。

ＥＵとは、第二次世界大戦でもっとも憎み合った隣人であるフランスとドイツが和解し手を組んだことが根っこだから、ＥＵそのものが瓦解すると同じだ。

フランス国民の多数派の本音は「移民がこれ以上増え、難民が怒濤《どとう》のように押し寄せるのは困る。しかし、大戦後の秩序をようやく造りあげてきた、それが壊されるのも困る」というところだろう。

だが州議会選でＦＮが伸び悩んでも、大統領選はこれから毎回、マリーヌＦＮ党首が当選する可能性を孕《はら》むことになるだろう。それは当分、続く。

二〇一五年来の州議会選では、決選投票で社会党などの左派連合が突如、「共和党などの右派連合に投票するように」と支持者に指示した。それがＦＮの最終勝利を阻んだ。社会党のオランド大統領（当時）が、宿敵、共和党にあえて票を贈った。敵の敵は味方という政治の真実が今回も顕《あらわ》れた。

大統領選でも同じ事ができるだろうか。

答えは「ウィ」である。フランス語の柔らかな肯定の響き、ウィの声がもう左派連合、右派連合の両陣営から聞こえるかのようだ。

フランスの大統領選は今の第五共和制において一度も、第一回投票で決着したことがない。必ず決選投票になっている。

かのド・ゴール大統領も、長期政権のミッテラン大統領も、同じく長期政権で親日派のシラク大統領もみな、第一回投票では過半数の票を確保できず、決選投票で勝った。

大統領選はこれからも、フランス史上初の女性大統領を目指すマリーヌ・ル・ペンFN党首をはじめ誰が出馬したとしても、第一回投票で過半数を取れる候補はいないだろう。

そして決選投票になると、今回の野合《やごう》の再現が充分にあり得る。決選投票は、上位ふたりだけの投票になる。その中にもしマリーヌが残っていれば、左派、右派、中道の候補のうち下位に甘んじた側が確実に、反マリーヌのために票の移動を指示するだろう。

マスメディアの癖

それでもなお、マリーヌ・ル・ペン新大統領の誕生の可能性は残る。
なぜなら、まず州議会選の最終結果を日本のマスメディアの多くがＦＮの負けと報じたのは客観的に誤報である。左派に有利なように報じたい、敗戦後の日本のマスメディアの癖がまた出ている。

ＦＮは第一党になった州こそないが、議席を大幅に伸ばしていて、むしろ今後の大統領選への踏み台を確保した。

そしてオランド、サルコジ、マクロンの歴代大統領は三弱と言うべき存在だ。いずれも既存秩序の中にいる政治家であり、既存秩序の維持だけでは生きられないとフランス国民の多くが意識し始めている兆候が時代のなかにあるからだ。

ＦＮ・国民戦線は、はるか昔とも言える二〇〇二年の大統領選で、当時の父ル・ペン党首、すなわちジャンマリー・ル・ペン氏が決選投票に生き残り、現職のシラク大統領（当時）に完敗したものの得票率およそ一八％、五百二十三万票を集めた。

この父ル・ペンは、下劣と言うほかない暴言をとめどなく繰り返し、誰が見ても大統領になるような存在では無かった。

五百万のフランス国民が、本気でこの人をエリゼ宮（大統領官邸）の主にしようと考えたとは信じにくい。

フランスはもともと戦いに弱い。フランス海軍の水兵は、軍帽に赤いぽっちが乗っかっていて、パリの街中で見てもお洒落《しやれ》である。しかし弱い。ナポレオンの時代だけが例外だったが、結局は諸国連合に負けた。

漢人、朝鮮人と同じように戦いに弱いから外交はしたたかになり、小動物と同じように脅威や不安を先取りする感覚が研ぎ澄まされる。

弱いからフランスも中国も朝鮮も核を持ちたがる。だが先制攻撃ですべてを制するほどの核武装にはならないから、感覚はますます鋭くなる。

噴飯ものの「メルケル評」

フランス国民は実に二十年以上前からEU、ユーロの体制がやがて揺らぐことを感じていたと観るべきだ。

二〇一五年末にはドイツのメルケル首相がアメリカの「タイム」誌の表紙を飾った。「今年の人」に選ばれたからだ。日本のメディアは「メルケル首相を見習え」と右へ習えで報じた。

しかしメルケル首相の主導した成果はいずれも、既成秩序を一時、小康状態へ導いただけであって、新秩序を切り拓く突破力は持っていない。

ギリシャのチプラス首相の手練手管《てれんてくだ》にはまって十一兆円を遥かに超える支援をし、当面の騒動は抑えたが、ギリシャをはじめスペイン、ポルトガル、イタリアといった諸国の経済にユーロが足を引っ張られる構図は変わっていない。

ドイツが自国通貨マルクのままだったらマルク高に苦しんだはずが、ユーロによってそれを上手く回避して輸出でドイツ経済を強くした。さらに旧東欧諸国をEUに取り込んで、その安い労働力も巧みに活用した。

その「ドイツの独り勝ち」こそがギリシャ危機の要因のひとつというチプラス首相の裏交渉での激しい主張に、メルケル首相は「そんなことはありません。国民の多くが国家公務員だったり、生産性が極端に低かったり、ギリシャ自身の問題です」と負けずに抗弁した。

それでもフランスを含む他のEU加盟国の冷たい視線にも囲まれて、メルケル首相は十一兆数千億円を率先して差し出す役割を演じた。

メルケル首相はそして、ウクライナ紛争でロシアのプーチン大統領と、オランド・フランス大統領を交えて話し合うという演出には成功した。

しかし実質的にロシア軍はウクライナ東部に侵入して居座ったままだ。だからこそマレーシア航空機をウクライナ空軍機と誤認して、実質的にロシア軍将校の指導のもと親ロシア勢力が撃墜し、民間人を空中で虐殺する悲惨な事件も起こした。

極めつきは、難民問題だ。

メルケル首相は当初、難民を歓迎する考えを明言した。タイム誌はこれを、こう評する。

「人間らしさや寛容という、過去とは違う価値を押し出し、ドイツが持つ強い国家の力を壊すためではなく、救うために活用するにはどうすれば良いかを明示した」

噴飯《ふんぱん》ものである。

メルケル発言の最初から、わたしは不肖ながら警告した。「これで難民流入に歯止めが掛からなくなる。ドイツを含めたヨーロッパ諸国は必ず、やがて難民の排斥に転じ、結局は難民という不幸な同じ人間に、より大きな不幸をもたらしてしまう」

予想通り、さまざまな嫌がらせが、わたしにやって来た。そんなものはどうでも良い。問題は、メルケル発言を信じ、子を救うために全財産を闇業者に投げ出し難民としてドイツに入れようとした途方もない数の親たちが、冬のヨーロッパの寒さに子や孫とともに震えながら行き場を失い、地中海の波間に消えていることだ。

なんという悲惨だろうか。

難民予備軍が六百五十万超

ドイツ経済が本音で期待した、安価な労働力としての難民はざっと六十万人。

しかし、あっという間にドイツに入ることができた難民だけで百万人を超えた（当時）。ドイツ国内でも「これ以上は無理だ」「いや、それどころか六十万人を超える部分の難民は押し返せ」という異論が噴出し、難民の入口になりやすい南部バイエルン州は、地元のサッカーチームが難民支援を表明したがゼーホーファー州首相は「難民受け容れへの厳しい制限」という、メルケル首相（いずれも当時）への反旗を公然と打ち出した。

州首相は当時も今も、バイエルン地域政党のＣＳＵ（キリスト教社会同盟）党首でもあり、そのＣＳＵはメルケル党首のＣＤＵ（キリスト教民主同盟）と兄弟政党として連立与党だ。

しかもＢＭＷやアウディが本社を置く、州都ミュンヘンを含むドイツ経済の中心地のひとつ。そこが難民の一部とはいえ受け容れ拒否である。

難民を送り出しているシリアは、人口およそ一千八百万人。この時点ですでに四百万人以上が難民として主としてヨーロッパに入るか、向かっていたが、難民予備軍も少なくとも六百五十万人を超えていた（数字はいずれも二〇一五年十二月当時の時点）。

しかも難民の元はシリアだけではない。イラク、アフガニスタンなど中東地域、そしてソマリアなどアフリカにも多くの国が存在する。

こうした客観データをわたしに示してくれた国連の人口・移民難民問題の専門家は、長い付き合いで一度も見たことがないほど険しい目つきと口調でこう言った。

「メルケル首相の偽善的な発言が、問題を爆発的に大きくし、さらに絶望的に解決不能にした」

公式の場ではこうした批判は決して口にできないという彼の苦悩する表情を見ながら、わたしが黙していると、突然に叫んだ。

「マリーヌ・ル・ペンを助けているのは、メルケルだよ。マリーヌがもしもフランス大統領として移民難民の排斥をし始めたら、それはドイツのメルケルのせいだ」

メルケル首相は二〇一七年に任期が切れた。二〇一五年の十一月に長期政権十年の節目を超えたメルケルさんは、八年目、九年目ぐらいまではまさしく順風満帆《じゅんぷうまんぱん》だった。

メルケル内閣のショイブレ財務大臣（当時）が二〇一四年九月の連邦議会下院で「二〇一五年予算では新規国債の発行を四十六年ぶりに停止する」と表明した。日本とは対照的に、無借金で歳出を賄《まかな》えるのだ。

ところがその一年あとにフォルクスワーゲンが信じがたい不正を働いていたことが暴露された。いち自動車メーカーの問題ではない。傘下にはポルシェもアウディも入っていて、ドイツの技術力そのものへの不信が一気に高まった。ドイツの超大手企業の幹部はわたしに「われわれの製品も値を下げないと売れない現実に直面している」と語った。

戦後の仕組みが壊れていく

思い出すのは、同じくドイツの長期政権だったコール首相である。政権八年目で東西ドイツの再統一を成し遂げた。ベルリンの壁が壊れるとき、コールさんが居なければ再統一は無かっただろう。

再統一から六年後の一九九六年、フランスのリヨンで開かれたサミットで巨大なコール首相と同じく長身のクリントン米大統領が、会場を移動するために中庭を歩きながら、政治記者だったわたしの眼の前で話し込んでいた。クリントン大統領は、ホワイトハウス執務室での致命的な性的スキャンダルが発覚する二年前、再選される大統領選の五か月前でいわば全盛期。コール首相も在任、実に十四年が近づく歴史的首相だった。

日本の橋本龍太郎首相（当時）はふたりから少し離れて歩き、会話に加わらず、わたしは国民のひとりとして「総理、会話に加わってください」と僭越《せんえつ》ながら呼びかけて叫んだが、ハシリュウさんは聞こえない振りをなさった。

しかしコール首相にはこの時すでに影が差していた。選挙で敗北が続くにもかかわらず「再統一の指導者」として政権維持への野心を剝き出しにし、二年後の一九九八年に連邦議会選で惨敗、退陣、そして不正献金疑惑を追及されて夫人は病気を理由に自害、辛い晩年となった。

日本と同じ相手と戦い同じ敗戦国になったドイツは、メルケル首相もコール首相も「長期政権でないと歴史的な仕事はできない。しかし余力を残して辞めることが肝心」と身をもって示しているように見える。

そして二〇一七年には、フランスの大統領選挙、ドイツの首相任期切れに加えてアメリカ初の黒人大統領だったオバマさんも退任し、白人層が逆噴射したかのように生み出した常識外れのトランプ大統領が、正式に登壇した。

パリ無差別テロに対応しきれない既存秩序とは、第二次世界大戦後に戦勝国が造った秩序である。

ドイツはＮＡＴＯ（北大西洋条約機構）に入り、つまりは軍事をアメリカの指揮下に置き、政治と経済はフランスの手助けによってＥＵとユーロを活用して、その秩序に上手く入り込んだ。

ところがフランスにＥＵとユーロを破壊する兆しが生じ、アメリカはイラク戦争の失敗で軍事的優位を中東では喪《うしな》った。既存秩序の揺らぎである。そのためにドイツもこれまで通りの役割を演じられない象徴が、解決のめども立たない難民だ。

これを解決するには、受け容れの問題ではなく難民の送り元のシリアなどの内戦を解決するしかない。ところが例えば国連（実態は連合国）は何の役割も果たせない。

戦勝国の造った仕組みが壊れていく始まりが、パリの無差別テロだったのだ。

そして国連の五大国、Ｐ５（安保理の常任理事国。パーマネントのＰ）の一角であるロシアが正面切ってウクライナを侵略した。その始まりの二〇二二年二月二十四日をもって、国連は自死したのである。

天は本来、女性を愛している

戦後秩序が破壊された以上、同じ敗戦国でも日本の出番が、否応《いやおう》なく来ている。

では安倍政権は、西暦二〇一八年九月までの自民党総裁任期までで、その役割を果たせたのか。安倍晋三総理への感情的な好悪《こうお》の問題ではなく、一政党の内規である総裁選規定を改正し、現在の二期六年を三期九年までの任期、二〇二一年に延ばし、そのうえで安倍総理はみずから招致した二〇二〇年の東京オリンピック・パラリンピックを責任を持って成功させ、残り一年近い任期という余力を残して、後任に譲るべきだとわたしは安倍総理に申しあげた。

総裁の任期は実際、そのように改正された。そして安倍政権は二〇二〇年九月、東京地検特捜部が「桜を見る会」事件で、「憲政史上初めて現職総理から任意で事情聴取する」ことを目指しているのを知り、突如、辞職なさった。表向きの理由は潰瘍性大腸炎の再発だった。

歴代最長を記録した安倍政権の終わった日本には、いずれ、女性宰相がよい。現在の女性政治家でなくてよい。異分野で今、苦労している女性が立つことが選択肢だと考えている。

安倍政権が掲げたような、形ばかりの女性登用ではない。天は本来、女性を愛している。脂肪で護られ、子孫に繋がる器官は内に隠されて護られている。わたしたち男性は護られていない。だから女性蔑視の姿勢を取って自分を守ろうとしたのではないかと、わたしは考えている。男は女を護る。これ以外に男の生きざまがあるだろうか。

日本は、もともと天照大神《あまてらすおおみかみ》の国である。皇室の祖神《そしん》にして日本国民の総氏神《そううじがみ》さまが女性なのだ。神話であるからなお、尊い。民族の理念、根本哲学を語るのが神話だからだ。神話を排斥することこそ間違っている。

ほんとうは宰相は男女いずれであっても良い。肝心なのは、世の常識、あるいはハンテイントンの「文明の衝突」論と違って、本来の日本文化が女性尊重を含め、実は普遍的な文化であることだ。

その根っこが分かれば既成秩序が壊れる時の日本の役割が分かる。

十四の章

ぼくらの目的地はどこにある

勝者の造った世界もいつか時を経て、壊れていく。そのとき敗者に誘惑が生まれる。「困っている勝者に、ここぞとうまく手を差し伸べれば、敗者の立場から脱出できるのではないか」

この誘惑に乗ったのが、過《あやま》てる日韓合意である。

北朝鮮の水爆（初期段階）実験という、これまでとは次元の違う危機が生まれることを事前に掴みつつ何も阻止できなかったアメリカのバラク・フセイン・オバマ大統領は、二〇一五年末に韓国の朴槿惠《バククネ》大統領にかつてないほど強い圧力を掛けた。

「年内に慰安婦をめぐる日韓紛争を終わらせ、年明けから日米韓が連携して、北朝鮮の引き起こす緊張に対処できるようにせよ」という圧力だ。

日本の安倍晋三総理（当時）に対しては「韓国が、二度と騒がないという約束をするなら、日韓合意をしてもらいたい」という要請だった。

もちろん、要請という名の圧力には違いないが、日韓に同じ圧力が掛かったのではない。集団的自衛権を行使できる安保法制を成立させた日本に、アメリカの責任の一部にせよ、肩代わりを期待するからだ。

アメリカは日韓の国力や技術力の大差をリアルに知っている。潜水艦隊の世界最高レベルの能力をはじめ自衛隊の高度な潜在力と、恐ろしいほどに劣化が進む韓国軍の実態も、在日米軍、在韓米軍を通じて知り尽くしている。

マスメディアが常に韓国を持ち上げる日本社会では、日韓格差が知られていないのとは対照的だ。だからこそアメリカはその軍の打撃力の軸である空海軍を、朝鮮半島の最前線の韓国には置かずに日本に置いている。

アメリカは、ハワイのインド太平洋軍司令部（ＩＮＤＯＰＡＣＯＭ／インドペイコム）に命じて、朝鮮半島の有事に備える作戦計画の大幅な変更も行った。わたしはこのＩＮＤＯＰＡＣＯＭがあるハワイ真珠湾へ入り、作戦変更を複数の当局者から非公式に確認した。

その新作戦にとっても日本の協力が鍵のひとつであり、朴槿惠大統領の慰安婦を理由にした反日政策は邪魔そのものになっていた。

だからこその「年内に解決しろ」の圧力であった。

安倍政権はそこにチャンスを感じた。

オバマ大統領は「アメリカは世界の警察官ではない」と公式に発言した。たとえば米軍の「中央軍」はアメリカ国内の中心部にいるのではなく外国である中東に今も展開するにもかかわらず、自国の設定した任務、そこから生まれる権益を放棄する宣言に等しい。

価値観が根本的に合わない中国に、アメリカ製品を買ってもらう算段をするだけではなく、北朝鮮への対応を水面下で膝を屈して北京にお願いするまでに衰えている。

その自覚があるからこそインド太平洋軍の作戦練り直しと、それを実践するときの日米韓の連携の確保は、アメリカという軍事国家にとって最後の生命線の一本でもある。

安倍政権の中枢のひとりはわたしに、「本気度というか、必死度を感じるね。慰安婦問題の解決提案に応えてあげて、日米韓（共同作戦）の障害を取り除けば、アメリカは日本を見直すよ。何でもアメリカの都合を押しつけてくる日々が、終わるかもしれない」と語った。

オバマ政権の正体

西暦二〇一五年はアメリカの世界支配の終焉《しゅうえん》がありありと迫る一年だった。

たとえば自称イスラーム国は、アメリカのインテリジェンス幹部によれば中核の兵力としては最大でも三万、実際には一万数千人にすぎなかった。しかもその兵の大半がトヨタのランドクルーザーで移動する戦力である。愛称ランクルは砂塵《さじん》にも耐えて故障しない優秀な日本の車ではあるが、あくまで乗用車だ。戦車や装甲車が現れれば、ひとたまりもない。

アメリカは大統領が決断すれば最大五十万の兵力を戦車や装甲車を伴う機甲化兵団として派遣できる。

しかし、それをしないから自称イスラーム国ごときが跳梁跋扈《ちょうりょうばっこ》し、数え切れないほどの女性が、慰安婦をめぐる中韓の大嘘と違ってこれは本物の性奴隷にされ、成人男子も男女の子供も自由を奪われた挙げ句、首を刎《は》ねられるなどして殺された。

アメリカは「世界の自由と人権を守る。それがアメリカの国益にもなる」という巨大な旗を掲げ、第二次世界大戦でイギリスもフランスも中国（中華民国）もまったく勝てなかった日本帝国を叩き潰し、欧州諸国が束になっても敵《かな》わなかったナチス・ドイツを打ちのめし、その代償として四十二万近い将兵を喪《うしな》ったのだった。

戦争は負けた国だけが、その結果で苦しむのではない。ほんとうは勝った国も、勝ったがために重荷を背負う。

その重荷とは、戦勝国では戦争が正当化されてしまって、その後もずっと戦わねばならなくなることだ。

アメリカは世界大戦のわずか五年後に、朝鮮戦争にのめり込み、それが休戦になると今度はベトナム戦争の底なし沼にみずから足を入れ、膝から腰、そして全身へと泥が回って建国以来初めての敗戦を喫した。だが、それで懲りるどころか湾岸戦争、アフガン戦争と政治も経済も戦争に依存する歴史を重ねた。

そしてイラク戦争でようやく懲りた。

わたしは自衛隊が入る前にイラクの戦地を歩き、アメリカの気のいい若者でもある兵士が、粗末な手製爆弾で次々に殺される現場に直面し、そこからワシントンＤＣに飛んで国防総省の幹部と向かい合った。

ワシントンはクリスマスの飾りと薄い雪化粧が美しく、わたしは胸に湧きあがる怒りを生のまま、この幹部にぶつけた。心まで渇く砂漠や、あるいは逆に皮膚の奥までじめじめと濡れる湿地帯で無駄に死ぬ若者と、無駄に殺されるイラクの市民と、戦争の指令塔のあるワシントンの光景があまりにかけ離れていたからだ。

　幹部は「それでも戦うのがアメリカ合州国だ。何もしない日本とは違う」と烈《はげ》しく反論しつつ、長いつきあいで初めて見る深い苦悩の色を顔に浮かべた。そのホテルのバーに居合わせたアメリカの市民たちが、じっと静まりかえって、わたしたちの言い合いに耳を澄ませているのも初めての経験だった。

　そしてこのイラク戦争の果ての大統領選で、「再び地上で戦わず」という白人には決してできない公約を黒人候補が掲げた。その若い黒人に初めてアメリカは、大統領の椅子を与えた。

　それがオバマ政権の正体である。

　しかし戦争をせざるアメリカに、もはや世界は支配できない。なぜか。ドルの強さも「どこでも勝てる軍事力」に根っこを支えられていたからだ。

「日米対等」への不動の意思

アメリカとは日本にとって何者だったか。

日本はほんとうは、連合国に負けたのではない。それは国際連合（UN／国連は意図的な誤訳。正しくは連合国）を支配するP5（パーマネント・ファイヴ）、すなわち安保理の常任理事国を見れば分かる。

日本軍はイギリスには負けるどころか、シンガポールをはじめ大英帝国の植民地からイギリス軍を追い払った。そこにイギリスがいったん戻ったのは戦後である。フランス軍はほぼ戦うことなく日本軍に屈服し、その植民地だった仏領インドシナに日本軍の進駐を許した。フランスが植民地支配を復活させようとしたのは、これも戦後だ。ソ連が日本に侵攻したのも実質的に戦後であり、中華人民共和国に至ってはその成立が大戦終結から四年後だ。

すなわち連合国に負けたのではなく、アメリカにだけ負けた。そのためアメリカは敗戦後の日本を単独で徹底的に利用することができた。

その支配構造が、敗戦から七十余年の現在も、経済、政治、外交・安全保障そして社会と文化に極めて奥深くビルト・インされたままなのが真実の日本である。

このアメリカがみずから、世界における支配構造を崩していく今、日本でも支配構造が変わるはずだ。

そのさなかに政権を維持していたのが安倍総理だった。

安倍総理の本願は実は、憲法改正ではない。

正確に申せば、改憲も手段でありゴールではない。ではゴールは何か。

それは、日本が敗戦国を脱することだ。

具体的には、戦勝国アメリカに対して平等な地位に近づくことである。

安倍さんが手元から離さない愛読書があった。もともと読書も映画も好きな政治家だったが、いざという時にひも解くのはこの一冊になる。それは「岸信介証言録」（毎日新聞社刊）だ。

オーラル・ヒストリー（当事者が語る歴史）の一冊であり、法学者が岸信介元総理にインタビューしている。そのなかで岸さんは、総理の座と引き替えに成立させた日米安保条約の改定、いわゆる六十年安保についてこう語っている。

〈（前略）日米対等の立場における日本の安全保障を確立することだと思うんです。（中略）国民的な防衛に関する意識、独立の精神的基盤を確立することがいちばん大事なんです。〉

岸元総理と安倍総理の関係について、たとえば朝日新聞は短くはない連載を掲載した。わたしは共同通信の記者を二十年、務めた。記事作りの手の内は知り尽くしている。連載の背後にある意図があからさまに伝わってきた。安倍総理が祖父であり「軍国主義日本を支えたひとり」である岸さんの後継者であろうとしている、良い孫を演じようとしていると印象づける記事の流れだった。

しかし安倍さんの岸政権への関心は、独裁者まがいの一族支配にあるのでは全くない。岸元総理の「日米対等」への不動の意思こそ関心事である。

「敗戦国からの脱皮」への手段

わたしが共同通信を辞して三菱総研の研究員だった頃に、安倍さんに岸政治への再評価について語ろうとしたことがある。

安倍さんは一瞬で表情を消した。わたしは内心で驚いた。人懐こい性格の安倍さんが、こんな無表情な顔を作ること自体が珍しいし、岸さんを大好きだという噂は政界の常識だったから、なぜこんなに嫌がるのかとも思った。

安倍総理にこれを尋ねたことはない。だが安倍総理は、お父さんの故・安倍晋太郎元外相の写真すら、私邸にあまり飾っていなかった。

安倍さんは世襲議員だ。世襲議員などひとりも居ないに越したことはない。だが客観的、公平に断言しよう。安倍さんは世襲議員ではあっても同族、一族にほとんど関心がない。だから、岸政治を孫として崇《あが》めているという噂に警戒的なのだ。あまり世評を気にしない人だが、これだけは嫌なのだろう。

安倍総理にとって、日韓合意も改憲も、そしてＴＰＰもみな「日米対等。それによる敗戦国からの脱皮」への手段なのである。

わたしは、そのゴールについては安倍総理と意見が一致する。

不肖ながら社長と首席研究員を務めた（当時）独立総合研究所（独研）は、いかなる権力や企業からも独立し、利害関係を持たず、さらには一切の寄附や贈りものも受け取らないという意味で「独立」の名を冠していると同時に、「日本国の真の独立に寄与する」という意味でも独立総合研究所なのだから。

だがプロセスについては意見がさまざまに異なる。

TPPもそうだが、もっとも重い違いが西暦二〇一五年十二月二十八日に結ばれた、いわゆる「慰安婦問題」をめぐる日韓合意である。

わたしは安倍晋三総理からパーティや会食に招かれたことは一度もない。

権力者との関係は、これでよい。利害関係を持たないためにも。

総理の周りには放っておいても、人が群がる。わたしは電話で意見するだけである。

韓国の狙い

日韓合意の直前、総理が今どうされているかを忖度《そんたく》せず出張先の米国から電話した。

普段は究極の公人である総理の現在を充分に考えて電話する。この時は総理官邸の内部からまずわたしに電話があり「総理がみなの反対を押し切って日韓合意を結ぼうとしている。最後の頼みだ。電話してください」と異例中の異例の要請があったからだ。

「年内解決をまずはやめてください。韓国の大嘘を日本が正当化してしまう合意の中身も間違っていますが、年内に、と言う韓国側の提案に乗るのもまた、間違っています」

日韓が「慰安婦」をめぐって急転直下、年末ぎりぎりに合意しそうだという情報は、早い段階から一民間人のわたしに入っていた。なぜか。政府部内に反対派が少なからず居る、いや、居たおかげだ。それは総理官邸にも外務省にも居た。そこから、それぞれ微妙に異なる点もある話を聴きつつ、わたしは当初は、むしろ安心していた。安倍総理が韓国のオファーを迷いなく断っていたからだ。

最初は、韓国は外務省と官邸の親韓派を通じて「三億円だけ出してくれ」という働きかけを行った。これは国費、すなわち日本国民の血税からすべて出せという話であって、韓国の狙いは明らかだった。

かつて親中韓派の総理、村山富市さんが韓国の真っ赤な嘘に寄り添って賠償金を払おうとしたが、さすがに一九六五年の日韓請求権協定ですべての国家賠償問題は終わっていることを日本みずから覆《くつがえ》すわけにいかず、寄附金を原資とする「アジア女性基金」を創設した。しかし韓国内に浸透している北朝鮮の工作による反日運動の圧力もあって、この基金は実質的に破綻《はたん》した。

国費から賠償させることによって、日本が旧軍を含めた国家の責任を慰安婦に対して認めたと国内外で宣伝することを朴槿恵大統領（当時）が狙う、それは余りに分かりやすかった。

わたしは旧知の韓国軍内の議論相手に連絡した。彼は「日本は一年の国家予算で百兆円近くを使う国だ。三億なんて安いもんじゃないか」と英語で言った。わたしは「日本のサラリーマンの生涯賃金が二億円を超える人は、大企業で順調な人生を送った人だ。日本経済も大半は中小企業が支えているんだ。三億円でどれほど日本国民が憤慨すると思うのか」と答えた。

　だがわたしたちのこの議論は、安倍総理が提案を断ったことで自然消滅した。総理はカネの多寡《たか》ではなく国費で払うことを拒否したとみえたからだ。

　すると韓国は一億円に要求を下げてきた。総理はそれも断ったと、これは総理の側近から聞いた。日韓首脳会談で「慰安婦問題の解決へ加速する」との合意があったが、別の側近は、わたしに「加速するというのは、つまり何もしないことだから」と笑ってみせた。

　この皮肉めいた逆説は、国務省の知友によるとアメリカにも非公式に伝えられた。「韓国が硬直した強硬姿勢のままでは、日本にできることは無い」という意思表示だったという。

　そこで、オバマ大統領の激怒と、朴槿恵大統領への烈《はげ》しい叱責が起きた。すると、あろうことか韓国は値段を二十億に吊り上げたのだった。

拠出金十億円の真相

　わたしはかねてから「戦争の弱い民族は外交が上手く、ほんらい強い民族は、げんこつ抜きの外交は下手である」「人は得意分野で失敗する」と述べてきた。ふつうで言えば繋がりの薄いように見えるはずのこのふたつのささやかな警句が、ここでいずれも現実になった。

戦いが弱いからこそ外交上手の韓国は、アメリカの圧力が日本に対してもあるはずだと考え、NSC（国家安全保障会議）の谷内《やち》正太郎局長と李丙琪《イビョンギ》・韓国大統領秘書室長（いずれも当時）のソウルでの秘密折衝で（1）日本は国費から二十億円を慰安婦への償いとして出せ（2）口頭で良いから「日本軍が関与して朝鮮女性を傷つけた」と岸田外相（当時）が明言せよ（3）そのふたつだけで韓国政府はもはや決して慰安婦問題を取りあげないと日本と国際社会に確約する――との「最終提案」を出した。

安倍総理は「もう蒸し返さないというのは大きい」「軍の関与と言うだけなら、韓国の言ってきた『日本軍は朝鮮女性を強制連行して性奴隷にした』という話とは違う」「あくまで対等な外交交渉として妥結したという形にするために、外交の基本として話を半分にしよう。だから拠出金は半分の十億だ」という反応だった。「対等な外交交渉」とは、加害者と被害者という立場ではなく、という趣旨だろう。

わたしは、このすべてに反対した、政府内部でも何人もの重要人物が反対した。わたしは「嘘を本当にしてしまえば、日本の子供たち、次世代だけではなく、韓国の子供たちにも致命的に有害だ」と安倍総理に強く申し入れた。

それでも安倍さんは、迷った挙げ句、二〇一五年十二月二十七日の夜に踏み切った。外交が得意分野だからだ。イエスマンの岸田外相に最終的に妥結を指示したのである。視線の先にあったのは韓国よりもアメリカだった。「対等な日米」という本願に近づく一歩と見たのだ。

次章でも、この日韓合意を考える。この後にどうするかが重要だったからだ。すべては繋がっている。台湾の総統選で親中派が大敗したことも含めてすべて根が通じていることを、次章以降でお伝えしたい。日本国民には、まだ、やれることがある。

それにしても安倍さんが電話でわたしに「朴槿恵は、今度だけは信用できると思うんだよね」と仰ったのは、衝撃だった。わたしは「総理、何度だまされたら気が済むんですか」と思わず、きつい言葉になった。しかし安倍総理は「うーん」と応えただけだった。

十五の章

祖国の沖縄　ふたたび

石垣の島が育てた陸軍大尉が、特攻に出撃した海は深く鎮《しず》まり、青年たちとともに沖縄を護った少女の眠る自決壕《じけつごう》の土から、きょうも手のひらに冷たい湿り気が伝わってくる。

わたしは西暦二〇一六年二月、東京から沖縄県の石垣島と沖縄本島を訪れた。半日をかけて石垣に入ると翌朝には本島へ飛び、あっという間に帰京した。あと半年でまさかの参院選出馬となることを知らずに居た。

ところが、この息つく暇《いとま》もない滞在には、天のきめ細かな差配を身近に感じる出逢いと再会が待っていた。

石垣では中山義隆市長と会い、市の一部である尖閣《せんかく》諸島をどうやって護るかをはじめ胸を開いて議論した。

明くる早朝、北朝鮮の弾道ミサイル発射に対峙《たいじ》してPAC3迎撃ミサイルが配備される場所に入り、最前線の自衛官をいち民間人ながらささやかに激励し、その近くに中山市長が建立した特攻隊の慰霊碑に参り、空港へ向かった。

冬の海を四百キロ戻り、沖縄本島に着くと、南部戦跡のなかにひっそりと立つ「白梅《しらうめ》の塔」に今回もお参りした。

本書で述べてきたように、しらうめとは「二高女」、沖縄県立第二高等女学校の校章である。

わずか七十余年前に惨禍をひろげた沖縄戦で、苦悶死するわたしたちの先輩を看護してくださったのは、まだ恋も知らなかったただろう十五から十七の少女たちだ。この学徒隊は全部で九隊あった。ところが、いわば一番エリートの女学生だった一高女（県立第一高等女学校）そして沖縄師範学校女子部の「ひめゆり学徒隊」だけが記憶され、ひめゆりの少女たちの自決壕は観光地になっている。たとえば、修学旅行の前にわたしから沖縄戦をめぐる臨時授業を受けた高校生が訪れると「入口前でいきなり土産物屋さんに取り囲まれて、じっくり考える気持ちが吹き飛んでしまいました」と後で語るようなことも起きる。ひめゆりの少女たちはほんとうは、白梅の少女のように静謐《せいひつ》な場所に居たいかもしれない。

翁長知事が建てた「龍柱」

さて、読者のみなさんと石垣島に戻って、最初からお話ししたい。

中山石垣市長は近畿大学経営学科から野村證券のサラリーマンとなり、石垣市議を経て、高齢の首長が多かった沖縄では珍しく若い四十二歳の市長となった。尖閣諸島に市長として上陸しようとして国から阻まれ続けている。民主党政権下で外務省に反対され、安倍政権になっても何も変わらなかった。

それでも中山市長は諦めず、図書館に尖閣諸島の立体ジオラマを作り、まず子供たちの意識を親と一緒に変えようと地道に努力している。

わたしは潮風に晒《さら》された市役所で市長と向かい合った。誰にも何も頼まれてはいない。社長を務めていた独立総合研究所（独研）の自費で訪れ、ひとりの主権者として「市長が市内で入れない土地がある」という奇っ怪な現実をいかに打ち破るかを議論した。

「第一には、石垣市民に加えて沖縄県民全体を味方に付けねばなりませんね。前知事の仲《なか》井眞《いま》弘多《ひろかず》さんは、沖縄には年々、中国の影響力が浸透していると知事時代に危機感をわたしに語られていました。そして現実に、翁長雄志《おながたけし》知事（当時）は何をなさっているか。たとえば『龍柱《りゅうちゅう》』です。中国の石材を使い、中国の業者に公金を支払い、那覇空港から那覇市内に通じる沖縄の玄関口に、龍の柱を建ててしまいました。これは中国の皇帝に冊封《さくほう》された地であることを象徴する意味を持ちます。もちろん知事周辺は、ただの観光シンボルと弁明しますが、まともな神経ならこころが冷える巨大な柱がなぜ観光資源でしょうか。世界のほかの国ならどこでも、まず地元の国民が、このような柱は打ち倒してしまうでしょう」

中山市長は深く頷《うなず》き、「沖縄県民みんなの考え方に問いかけていかねばなりませんね。わたしもその覚悟、決意はできています」と仰った。

そしてわたしは尖閣諸島のジオラマを見に行き、石垣市内の焼き肉屋さんで再び市長と向かい合った。

領土、領空、領海とは何か

石垣牛は安くて甘くて柔らかく、沖縄の元祖・地ビールと言うべき、オリオンのビールに思わず感嘆の溜息が出るほど合っている。わたしは東京でも、このビールを呑んでいる。アメリカのビールは日本で呑むと美味しさが変わってしまうのに、沖縄の地ビールは本土でも独特の爽快感が変わらない。わたしは焼き肉の煙のなかで「やっぱり、祖国の沖縄だ」と呟《つぶや》きつつ、中山市長の丸い眼を見て、こう言った。

「市長、ジオラマの試みは素晴らしいです。しかし、ひとつお願いもあります」

「どうぞ、どうぞ、何でも」

「あのジオラマは、尖閣諸島の島々の植物をはじめ自然が良く分かるし、子供にも親にも、この石垣市にたいせつな島が沢山《たくさん》あることが理解されると思います。ただ……」

お世辞抜きで男前の中山義隆市長は、じっとわたしの言葉を待つ。

「あのジオラマには、領土とは何か、国と国民にとって領土をしっかり保つとは何か、そして領海や領空とは何かまで子供と親に問いかける視点がありません」

市長は黙している。わたしは言葉を引っ込めようかとも一瞬、思ったが、おのれを鼓舞《こぶ》して続けた。

「正直、展示ぶりに遠慮も感じました。外国である中国の反発に配慮するのなら、尖閣諸島に上陸することを拒む外務官僚たちと、厳しく申せば大差なくなってしまいます。尖閣に貴重な自然があるから護るのではなく、まず固有の領土、領海、領空であるから、主権国家の主人公としてわたしたちが護らねばならず、その先に自然を育《はぐく》み、漁業資源を大切に活用し、ということがあります。それを考えさせるジオラマに発展させ、そして図書館の奥ではなく、もっとみんなが見やすい前面に出していただけないでしょうか」

中山市長は、口元に強い意志を込めて、無言で何度も頷かれた。

それは、本土と沖縄の区別なく、ともに祖国の一員として北方領土、北海道から沖縄の離島まで領土とは何かを考える意志だった。

そして無言だけに、わたしの胸に、中山市長が直面する工作、すなわち大きな利権をもたらす中国側の巧みな浸透とそれに乗っかる県の動きに対峙する苦況もまた、刻み込まれた。

天の差配

翌朝早くに、わたしはホテルを出て、石垣港に隣接する埋め立て地に向かった。

市長の秘書係長（当時）の大城智一朗《おおしろともいちろう》さんが同行してくれた。この大城さんは消防士を務めていたのを、中山さんがスカウトした。寡黙でがっしりしていて、わたしは大城さんにも前夜の石垣牛を味わう席に来ていただいた。市長は「この男はガードマン兼任ですよ」と笑っていた。

埋め立て地にはＰＡＣ３が配備されることをおおまかに、政府当局者から聞いていた。わたしの石垣訪問と北朝鮮の弾道ミサイル発射が重なったのは偶然だ。大袈裟に申せば、これも天の差配である。

広大な埋め立て地は、入口が一箇所だけに制限され「立入禁止」の巨大な看板がある。本来は、埋め立て工事のための立入禁止なのだが、この日は事実上、ＰＡＣ３配備のための看板でもあるのは、歩哨《ほしょう》のように入口の両側を固めている迷彩服姿のふたりの陸上自衛官で分かる。

わたしは中に入るのを諦めかけた。しかし大城さんは上官らしい自衛官と交渉している。

「青山繁晴さんが視察したいそうです」

これで許可が出るわけはないと、わたしはますます諦めた。ところが上官は「上に問い合わせます」と無線連絡をしてくれている。それだけで充分に感謝した。石垣市長との議論も、今朝のこれも、ただの一《いち》民間人としての行動に過ぎない。

「正式な許可が出ました！」

自衛官と大城さんがほぼ同時に叫んだ。わたしは『邪魔にも情報漏洩《ろうえい》にもならないようにしつつ、主権者のひとりとして最前線を見る。同時に、民間人であっても専門家の端くれとして責任を果たそう。そのために、素晴らしく柔軟な姿勢で入構を認めてくれたのだから』と考えながら中に入った。数多くの陸上自衛官がテントや関連機材の設営に取り組んでいる。ほれぼれするぐらいに手際よい。そして、いちばん奥に、ＰＡＣ３が航空自衛官とともに空を睨《にら》んで立つだろうポイントがあった。

わたしは自衛官のひとりひとりと握手をし、肩を組み、言葉を交わした。その言葉の中身はこのたいせつな書といえども公開しない。

北朝鮮であれ中国であれどこであれ、日本にミサイルを撃ち込んでも得るものは少ないと思わせる抑止力を、みんなでつくっていかねばならない。それが基本だ。

そのあと、中山市長から聞いていた慰霊碑に向かった。

忘れられた特攻隊員

曇り空の朝陽が穏やかに照らす海に面して、それは立っていた。

陸軍航空隊の飛行服を着たひとりの青年士官のお顔が、碑に刻まれている。写真を元にしたのだろう、表情もくっきりと鮮やかだ。

横に大きく、大日本帝国陸軍　伊舎堂用久《いしゃどうようきゅう》中佐とある。石垣生まれの伊舎堂大尉（死後昇進で中佐）、二十四歳は、陸軍特攻隊の第一号隊長として石垣島の白保《しらほ》飛行場から出撃し、戦死した。

西暦一九四五年、昭和二十年三月二十六日の午前四時のことだ。

この日は、日本が永い歴史で初めて領土を侵《おか》された硫黄島《いおうとう》の戦いが米軍の勝利で終わった日であり、同時に、米軍の歩兵部隊が初めて沖縄の慶良間《けらま》諸島に上陸した日でもある。

伊舎堂大尉は「誠《まこと》」第一七飛行隊の隊長として、本土（三重、埼玉、愛媛）出身の隊員三名と慶良間の西海上で米空母艦に体当たりして死した。

伊舎堂大尉を筆頭に総員三十一人が突撃死した。しかし敗戦後、見事に忘れられた。中山市長は、反対派とも対話しながら、支持者らと慰霊碑の建立を実行した。凄まじい反対だけでなく「中山は右翼だ」という風説が徹底的に流されたという。

碑には、真新しい花束があった。潮風に打たれながら、まだしおれてはいない。わたしが思わず花びらに指を添えていると、黙して立っていた大城さんが重い口を開いた。

「青山さん、わたしはこの石垣の生まれ育ちです。子供の頃から不思議に思っていたのです。沖縄戦は、本土が沖縄を捨て石にした戦いだったと徹底的に教育されました。変ですよね。沖縄を捨て石にするのなら、なぜ本土から、こんなに沢山の若い人から中年の人まで、沖縄へやって来て必死に戦ったんですか。捨てるなら、文字通り、捨て置けばいい。沖縄を愛してくれているから、ここへきて、みんなたったひとつの命まで捧げてくれたのではないのですか」

わたしは聞きながら今度は、碑に刻まれた三十一人全員の名前を指でなぞっていった。ひとりひとり、なぞっていった。北海道、東京、愛知、大阪、兵庫、高知、鹿児島など若いみんなが全国から集まっている。沖縄出身は伊舎堂大尉、ただ一人だ。

「大城さん、不思議ですね。ぼくも本土で同じ教育を受けながら、同じように、おかしいなと思っていた。大城さんはこれまで、それを口に出せずにいらっしゃったのではないですか。ぼくは三十七年間、沖縄に通って、ずっとそれを問いかけてきた。この二人が今朝、中山さんのつくってくれたご縁で一緒にいて、忘れられた青年たちと出逢っています。大事にしたいですね。このご縁を」

大城さんは海を見ながら、何度も頷き、そして携帯電話に出て、にっこり笑った。「青山さん、今日は土曜日ですけど、中山市長が今ここへ来るそうです」

市長は、丸い小さな車を運転して現れた。わたしは碑の前で思わず、市長の頭を抱きかかえてわたしの頭にこすりつけた。眼の前に大きな石が幾つも配置され、みな、深く抉《えぐ》ってある。この慰霊碑を訪ねる遺族の多くが高齢であることを考えて、座れるようにしているのだろう。その心根《こころね》が嬉しくて、わたしは、市民のための大事な市長の頭を抱え込んでしまった。大城さんは微笑しながらぱちりと、写真を一枚撮った。

わたしはそこから空港へ向かった。大城さんは車中でこう言った。「青山さん、あんな小さな車に乗ってアパートに奥さん、子供と住んでいる市長は初めてです」

沖縄の首長は補助金と土建業者を繋ぐ役割にいそしむ人が少なくない。大城さんは、それと無縁の市長だからこそ、反対があっても、広範な支持も得て慰霊碑を造ることができたと語りたいのだろう。

わたしは、あらためて考えた。

敗戦後の日本社会は七十一年（当時）にわたり、「戦争に負けた、資源のない国」であることこそを利権にしてきた。沖縄はその先端だからこそ、それから脱する最前線にもなれる。

再び白梅の塔へ

その気持ちを胸に秘めて、沖縄本島に飛び、数え切れないほど訪れた白梅の塔を再び、お訪ねした。

小雨も時折、降るなかで白梅学徒隊の生き残りのみなさんが、白梅同窓会長の中山きくさんをはじめ今日も待っていてくださった。わたしがハグをすると十五や十六の少女に戻る、八十歳代（当時）のみんなだ。

わたしはまず、すべての先生と生徒の名前を刻んだ碑の前に立ち、いつものように、ひとりひとりのお名前を呼びながら水で洗っていった。きくさんらは後ろから、じっと見守ってくださる。

それから、足の動く人とはご一緒に、自決壕の奥へ降りていった。「みなさんがここで踏ん張ってくださったからこそ、今のぼくたちが生まれて祖国が続きました。どんなに感謝しても、しきれません。おのれに天から与えられた使命を果たします」

いつもと同じく、そうやってぶつぶつ小さな声で話しかけた。

壕から地上へ出るとき、少女だったみなさんの背中が暗い空の光を浴びている。逆光で見にくいはずが、穏やかに曇った光のせいか鮮やかにひとりひとり、浮かんで見える。

わたしはその背中にも、何度も手を合わせた。感謝が胸の底から溢れ出る。

深い自決壕から出て慰霊碑と塔に戻ろうとすると、車が二台、敷地の外の駐車場に入ってくる。これまで、ほとんど見たことがない光景だ。

二台からどっと、元気いっぱいに男女が繰り出してきて迷いなく白梅の塔に向かい、リーダー格らしい男性が水で碑を洗い始めた。わたしが白梅の塔をささやかに語り出して久しく、訪れる人が増えているとは聞いていたが、その現場を見るのは実に初めてだ。

二十人近い集団の後ろにそっと控えて、お参りの様子を拝見していた。すると中山きくさんが、リーダーらしい男性に「どうやって、ここを知りましたか」と聞かれた。

男性は「青山繁晴さんの水曜アンカーという関西テレビの番組を視たんです」と、はっきりした声で答えられた。思わず、「わたしはここに居ます」と声が出た。一斉にみな、振り返り、口々に悲鳴のような声をあげられた。聞けば、庶民の街、大阪市此花《このはな》区で民生委員などをなさっている方々だという。

「人のために仕事をしている立場だからこそ、青山さんの白梅と硫黄島の話が身に沁《し》みて、時々こうやってお参りに来ているんです」と男性が、にこにこしながら教えてくださった。

女性も男性もわたしの手を握り、腕を掴み、「まさか会えるなんて」と言ってくださる。そして気がつくと、敷地のあちこちで白梅同窓会のみんなとも握手され、言葉を交わし、感謝を述べられている。わたしは気づかれないように落涙した。

本土も沖縄を愛した

そして白梅同窓会のみんなと、近くの喫茶店を探して、しばしのお別れのお茶を飲んだ。

きくさんは、こう仰った。「青山さんの書いたエッセイの載った雑誌がずっと送られてくるんです。その澄哲録片片《ちょうてつろくへんぺん》という連載のなかで青山さんは、わたしたちは軍国主義に騙されたのじゃないと書いていますね。あれは本当ですか」

わたしは石垣市役所の大城さんの「本土も沖縄を愛していたからこそ、ここへ来て共に戦った」という言葉を伝えた。

きくさんはすると、連載のなかのわたしの一文を正確にすらすらと暗唱された。

「きくさんたちも、自決なさった同級生のかたがたも、軍国主義に騙されたのではありません。ぼくら本土の先輩とも一緒に、ひとのために生きたのです」

わたしは胸を衝《つ》かれた。なんという光栄だろうか。そしてなんという責任の重さだろうか。昨日まで縫い物を習っていた指で、兵士の飛び出た腸をお腹に押し込み、麻酔もなく切断された兵士の足を運び、銃弾と爆弾のなかを兵士のために水を探しに壕から外へ出てくださった少女の、敗戦後の生き方に問いかけているのだ。

するると突然、「あのぉ、青山繁晴さんですか」と声を掛けられた。

顔を上げると、男性がわたしたちのテーブルに顔を寄せている。「どう考えても青山さんの声なので」

わたしだと分かると、男性は叫んだ。「なんで青山さんが、ここに、糸満市《いとまんし》のこの店にいるんですか」

近くの白梅の塔を訪ねたのですと話すと、地元の生まれ育ちの男性は「白梅の塔なんて、まったく知りませんでした」と仰った。

そう、これが沖縄だ。しかしパッションフルーツを栽培しているという男性は、白梅とは何かを知ると、きくさんらとじっくり話し込んだ。

沖縄のパッションフルーツは、日本農業の誇りのひとつと言いたいぐらい美味しい。その担《にな》い手が、白梅の少女たちと初めてこころを通わせてくださった。ああ、この世とは、なんという素敵なところだろうか。死者も生者も通じあうのだ。

本章では、たまさかの短い旅で起きた、ちいさな奇跡をお話しした。

みなさん、またお会いしましょう。

……と記したが、中山きくさんは令和五年、西暦二〇二三年の一月十二日に、九十四歳で沖縄と日本の若者を案じながら、ついに現世を去られた。

わたしは毎朝、仕事部屋に据えた神棚に、みなさんと同じように二礼二拍一礼をおこなう。最初の一礼は反正《はんぜい》天皇に捧げ、次の一礼は白梅の少女たちときくさんと硫黄島《いおうとう》の英霊のかたがたに捧げ、最初に手を打つときには先の大戦で命を喪われた同胞《はらから》三百十万人のすべて、次の拍は今現在、苦しむすべての人に捧げ、最後の一礼で脱私即的《だっしそくてき》、わたくしごころを脱して本来の目的に即《つ》けるよう祈っている。

十六の章

響き合う世界

このささやかな書物も、これで十六章目になる。もともとは、信頼する編集者に思いがけず「読者が待っています」と呼びかけられ、過密日程を忘れて引き受けてしまった連載だった。

編集者から聞く、その読者の強い豊かな反響に励まされて、ようやく続けた。

それはたとえば、永遠に若いまま死した尾崎豊の「僕が僕であるために」の一曲を聴くときに似ている。あれほどの男前で、声は伸びやかに美しく、独創の作詞と作曲の才能にも溢れた彼がなぜ、路上で孤独に死なねばならなかったのか。

もしも彼が、みんなで一緒に生きていく理念を子供の頃から学校で聞いていたら、歌の力をもう少しだけは信じられたかもしれない。〈正しいものは何なのか〉（歌詞の一節）と、あまりに真っ直ぐ、無防備に突き刺してくる絶唱を聴くと、つたない文章で彼に話しかけたくなる。

このオザキとも、読者の大半とも逢うことはない。それなのに、この書で間違いなく逢っている。時空を超えて、ぼくの手の温もりと胸の鼓動が伝わる奇跡が起きる。

この原稿を書いている今、茫漠《ぼうばく》と広がる太平洋の一万メートル上空の狭い機中で、日付変更線を越えようとしている。

　寒風に凍えるパリのテロ現場から、熱波に焼かれる南半球のキャンベラへ、そして魂を鎮める紺碧《こんぺき》の空のハワイ真珠湾へ、いずれも一日半か数日の滞在のなかで、フランスの国家憲兵隊、オーストラリアの国防省、アメリカの太平洋軍司令部（ＰＡＣＯＭ）のひとびとと眼を見合って議論した。最後に飛び立ったホノルルから祖国に帰る途上にある。

　それは、わずか七十五年前（当時）に真珠湾に殺到した若き戦闘機乗りたちの航跡を、逆になぞって飛ぶことでもある。

　すべての日程を貫いて諸国の軍人らに伝えたのは「日本はいよいよ敗戦を乗り越え、新しい生き方を世界に示し、ほんものの平和国家に生まれ変わる」という哲学の提起である。

　当時の安倍内閣は、国連の場（女性差別撤廃委員会）で初めて、韓国政府と日本のマスメディアが声高《こわだか》に主張し続けた「日本軍が朝鮮女性を強制連行、慰安婦とした」という話が、まったくの虚偽であることを説明した。安倍晋三総理が決断して西暦二〇一五年末に成立した「日韓合意」で、「（日本）軍の関与の下で女性を傷つけた」と岸田文雄外相が公式に述べ、実質的に日本政府自ら嘘をついたこととの埋め合わせだった。

ところが実は国連での初説明は、口頭だけであり、文書に記録しない。それを水面下で国連や韓国、さらに中国とも摺《す》り合わせたうえでの言いっ放しであった。

そのために「慰安婦の多くは日本女性であり、日韓とも家庭の貧しさから親や親族に売られた女性が慰安婦となった」という客観事実は葬られたままになった。

だから、そのあとに国連のこの委員会が出した日本政府への「勧告」なるものに「皇位継承を男性に限っているのは女性差別であるから皇室典範を改正しろ」という前代未聞の暴力的な内政干渉が、中国の対国連工作でやすやすと盛り込まれたのだ。

さすがに安倍内閣の抗議でそこは削られた。このいきさつは「国連は戦争をなくす美しい組織ではない。日本を永遠に敗戦国にとどめようとする自称戦勝国が賄賂《わいろ》も使ってやりたい放題に工作する場だ」という冷厳な事実を日本国民がすこしばかり知る機会になった。

それはわたしが長年、国連本部の近くのカフェで国連職員から聞いてきた事実でもある。

世界にもおのれを隠してきた

だが削られたから、それでいいいか。

そもそも日本に女性天皇、すなわち女帝は、推古《すいこ》天皇をはじめ八人十代もいらっしゃった。いらしたことが無いのは女性天皇ではなく女系天皇、もっと分かりやすく言えば母系の天皇陛下である。母系の陛下がもし誕生すれば、その父上は天皇陛下ならざる、どこかの男性である。すなわち、系統を歴代天皇で辿《たど》ることはできなくなる。その父を始祖として、皇室ではない新「王朝」が始まることになり、欧州などの王室と同じく、一系統ならざる凡百《ぼんひゃく》の系統に変ずる。また、先帝を私利私欲で次々と殺して新王朝を名乗った、中国の革命の歴史と本質的な差が無くなる。

大日本帝国憲法（明治憲法）によって定められた皇室典範は、父系の皇位継承を定めているのであり、女性差別と関係がない。敗戦によって文言が変わった現在の皇室典範においても、それは変わらず護られている。新旧いずれの皇室典範も、皇位継承者を「男系ノ男子」と同一の定めを明示している。この男系こそが、父系のことだ。男系の男子ならどんな女性とご成婚なさっても父は天皇陛下で変わらず、系統を辿《たど》れる。

これは、敗戦が無条件降伏ではなかったことの証明でもある。わたしも小中高大学のすべてを通じて無条件降伏したと教わったが、ことほど左様に敗戦後の歴史教育は嘘が多い。敗戦後の日本は、自国民に嘘を刷り込むだけではなく、世界にもおのれを隠してきた。

だがたった今、第二次大戦後の世界秩序が壊れつつある。究極のエゴイスト、"PUTTING AMERICA FIRST"（アメリカを第一に置く、押し出す）と言いつつ実は"PUTTING MYSELF FIRST"（自分を第一に押し出す）のミスター・トランプを大統領選で驀進《ばくしん》させるアメリカは、真っ先に壊れていく。

トランプさんが最終的に大統領になってもならなくても、ほんとうは関係なかった。天才的破壊者とも言うべきこの人物を救い主と崇《あが》める民衆の姿が世に表れただけで、アメリカ合州国の民主主義はいったん終焉《しゅうえん》を迎えている。

大戦の真の勝者はアメリカだけだ。そこが自らのこれまでを破壊すれば、大戦後に作られた秩序もおしまいである。

敗者に出番と責任が回ってくる。ドイツと日本だと思いきや、ドイツは欧州全体に難民を無限に招いてしまい、共に苦しむ諸国政府と難民のひとびとから怨嗟《えんさ》を買っている。併せて、ドイツ経済の象徴であるフォルクスワーゲンが嘘をついて排ガス規制を免《まぬが》れていたことが露見し、その技術力にも疑いの目が向けられた。

偶然ではない。ドイツの誇りだったはずのメルケル首相はなぜ、安直に難民を受け容れる発言をし、難民が押し寄せると翻《ひるがえ》って、受け容れの制限、つまりドイツが都合よく労働力として使う以外の難民は拒絶することを打ち出したか。

それは、ドイツが戦争責任をすべてヒトラーとナチに押しつけたことに淵源《えんげん》がある。「ドイツはもともと人道主義だった。ナチだけがおかしかったにすぎない」とアピールすることで、敗戦後の日々を乗り切ってきた。

実際は、ヒトラーもナチも選挙で国民に選ばれて政権の座に就いた。それも、世界で最も民主的とされたワイマール憲法の下である。ナチが独裁体制を築いたのは、その後だ。

この史実から身を躱《かわ》すためにはいつでもどこでも「ナチ抜きのドイツは人道的だ」と強調せねばならない。そのためにメルケルさんは率先して、シリア、リビアなどからの難民を国家予算を費やして歓迎すると明言したのだ。

武士道の遺した心根

日本はどうか。

極めて限定的であっても、初めて集団的自衛権を行使する安保法制が西暦二〇一六年三月二十九日から施行となった。世界の平和を集団的自衛権によってこそ担保している国際法にようやく幾分かは沿う姿勢を世界にみせて、責任の一端は担おうとしている。

すると、「日本を立ち上がらせるな」という観念を国民に刷り込んできた三か国、地球上で極めて例外的な三か国、中国、韓国、北朝鮮だけが反日活動をさらに強める。韓国がアメリカに叱られてやや後退すると、中国はますます増幅させる。

それが国連による「男系天皇は女性差別」という愚かな内政干渉まで生んだ。

福島第一原発の排水を処理して、ふつうの原発と同等の排水、いや実際には三重水素(トリチウム。自然の水や雨に当たり前に存在する放射性物質)の量がさらに減り、検知すらできなくなった排水を、西暦二〇二三年八月に海に出したとき、中国は自らの原発がその五、六倍の三重水素を含む排水を出しながら、日本の水産物を一切、輸入禁止にし、国民をして迷惑電話を日本の無関係な施設などに掛けさせた。この開いた口がふさがらない愚挙も、ここに淵源がある。

だが中韓と北朝鮮にだけ責任があるのではない。慰安婦であれ日本軍の南京占領であれ、写真の捏造《ねつぞう》まで行って史実を極度に曲げるプロパガンダ（工作宣伝活動）をもっとも積極的に応援してきたのは、当の日本社会のマスメディアと教育だからだ。

わたしたちの棲《す》む社会のこの奇怪な反応の根っこは自らを貶《おとし》める癖であり、それはひとつには「日本の文化は孤立していて世界に理解されない」という思い込みから来ている。

その日本文化の柱の太い一本は、武士道だ。

武家社会が滅びた今だからむしろ、誰でも武士道の遺した心根《こころね》を学ぶことができる。

武家の娘であったわたしの母は、小学生のとき姉、兄、末っ子のわたしを集めて、こう言った。「もう家がどうのこうのは、過去のことや。終わりや」

一方でわたしは、武士道の代表的な書とされる「葉隠《はがくれ》」を禁書と教わって育った。関西の家を出て自立の道を歩むために東京の大学へ進み、ひとり暮らしを始めたとき、都内の書店で真っ先に「葉隠」を買い求めた。

葉隠は江戸中期の書だ。佐賀藩の鍋島光茂《なべしまみつしげ》公が亡くなり、臣下の山本常朝《じょうちょう》はまだ四十二歳にして隠居した。十年後に訪ねてきた後輩の田代陣基《つらもと》に聞かれるまま武士の生き方を語り、田代が書き取った。だから、ほんとうは葉隠聞書《はがくれききがき》だ。このふたり自身が秘伝として「覚えたあとは火に入れよ」という趣旨を記していたこともあり、原本は焼かれてしまったが、復元が試みられて今に伝わる。

十八歳のわたしは、まずその長さが意外だった。もっと簡潔に、武士道の極意をきりりと凝縮していると想像していたからだ。読んでみると、冗長《じょうちょう》と言うほかない。無駄な話が沢山《たくさん》、盛り込まれていると思った。

そして何より意外だったのは、どこが禁書なのか、何が危ういのか、さっぱり分からなかったことだ。「葉隠」はまさしく、武士の生き方を述べているのだが、サラリーマンのハウツー本に似ているとすら思った。たとえば城内の退屈な会議で、あくびが出そうになったときに、それを誤魔化すやり方まで得々と書いてある。

しかし有名な一節は、意味を考えるまえに、燦《きら》めく白刃《はくじん》のように胸に迫った。

〈武士道といふは、死ぬ事と見付けたり。〉

この一節がかつて軍部に利用されたことも当然ながら知っていた。

ほら、死ぬことが第一だと書いてあるではないか。若者よ、戦場に行って死んでこい。

わたしはこの解釈は、どうにも理解できなかった。国家はなぜ戦争をするか。勝つためだ。国の未来を拓《ひら》く若い世代を死なせるためではない。軍国主義を否定するなどというレベルの話ですらない。若い兵士がどんどん死んで、国と社会が労働力を喪って勝利はない。

したがって切れ味鋭い一節も、どのように解釈すべきか分からなかった。

わたしは解説書を読まない。どんなに読みにくいものでも、解説書には触らない。ただただ、じっと文章を見る。何度も読む。それと、力まずに全体をほんわりと見ることを噛み合わせる。

そのうちに自然に文章が動いて、中身が染み出てくる。江戸期の書物だけではなく、もっと古い時代の書も漢文も、そうやって意味を汲みとろうとしてきた。

これは人にはまったく奨められない。ただ、この非合理的なやり方が、わたしの自ら考える力、あるいは想像力をささやかには育《はぐく》んだのかも知れないなとは思う。

省かれた重大な一言

葉隠は、禁書にまでなる理由が分からないまま時折じっと読んだり、気楽に突き放して眺めていたりの長い年月が過ぎた。

そして気づいた。

以下は、本書にある通りインドで講演した際にも少し述べたことだが、この書の最後にもう一度じっくり一緒に考えたい。

〈武士道といふは、死ぬ事と見付けたり。〉という一節は重大な言葉を省いている、それによってタブーを冒《おか》している、と気付いた。

この一節は、長い書である「葉隠」のやはり根幹だ。

山本常朝さんの生きた江戸の中期になれば、世は太平、もはや戦いはない。列強の侵略もまだ始まっていない。そのなかで鋭い切れ味の刀を腰に差し続けている武士が、どう生きればいいのか、武士道には意味があるのかと胸の裡《うち》で迷うことも多かっただろう。

山本常朝さんは、それに対して、たったこの短い一節で答え切っているのだ。

この一節はまず、文章としての完成度が極めて高い。

それは、古池や蛙《かわず》飛び込む水の音、というあまりに有名な芭蕉の一句を思い起こさせる。この句は、静かだとはひとことも言っていない。それどころか「音」だけを記している。しかし表現しているのは、永遠の静けさである。蛙が飛び込む音だけが一瞬、聞こえて、そのあとさらに静寂が増す光景を、これほどまで詠み切る一行詩は世界に存在しないだろう。わたしの勝手な解釈だが、例によって解説書や教科書などに依《よ》らず、小学生の頃からこのように味わってきて今も変わらない。

常朝さんの一節は、〈見付けたり。〉と言っている。苦悩を何も述べていない。しかし「いくさも無いのに刀を差して、城内は些事《さじ》をめぐって会議に明け暮れ、いったい何を目指して生きればいいのか、ずっと悩んで考えてきた」と言っている。言っていないが、言っている。一切言っていないから、限りなく雄弁に語ることができる。

そして「そのように考えた挙げ句に、武士道と言うのは、死ぬことだと分かりました」と言っている。

重大な一言が省かれているのは「死ぬこと」の前である。そこにあるはずの「殿のために」「君主のために」が無い。

武士道とは、君主のためにならの死ぬ、ということだと記すべきだ。ところが、それを省いたために「武士道とは、誰でも良い、おのれ以外の他人のために、いざとなれば死をも辞さないことである」と意味が一変している。

こんな武士は、江戸期の保守本流からすれば困りものである。禁書にならざるを得ない。これは、あくまでもわたしの解釈であって、学問的な解析ではない。現代の学者の一般的な方法論とは、他人の解説を読み漁《あさ》り、比べ、統合し、独自の色をすこし付け加えて論文にすることである。わたしの解釈とは、わたしたちはあっという間に終わる命をどう生きるかという問いであって、学問とは別だ。

他人のために生きろ

わたしが、前述のように考えるようになった大きな動機のひとつは、恋をめぐる葉隠の記述にある。

〈恋の至極《しごく》は忍恋《しのぶこい》と見立て候《そうろう》〉

究極の恋とは、忍ぶ恋、相手に遂に打ち明けずに生涯を終える恋だと言っている。

恋とは、そのまま恋だけを考えても良いし、現代の「愛」という観念を加えても良い。

愛は、ほんらいは西洋から輸入された観念だ。

相手に伝えて恋の成就《じょうじゅ》を目指すのなら、それはほんとうは相手を思っているのではなく、相手を自分のものにしたいという欲望に過ぎない。わたしはそう受け止めた。

ずいぶんと厳しい考え方だ。

これを衆道《しゅどう》（男色）のことだと言っている人もいるが、なんであれ、現代で言えば「誰のために愛するのか」について述べている。男色だから秘めていろという話ではない。そもそも江戸期は、男色はさして秘め事ではない。

これは、徹底した利他《りた》の精神である。

だから、〈武士道といふは、死ぬことと見付けたり。〉とは「死ね」と言っているのではない。生きろ、他人のために生きろと言っている。旧軍の一部の解釈とは逆さまである。

人間が自分のために生きているのであれば、これほど空しいことはない。どれほど上手くやっても、最後には死ぬだけだからだ。

その虚無から脱するには、人のために生きることだ、人のために生きれば命を次へ繋げることに連なり、ようやく意味を見出せる。

山本常朝という隠棲《いんせい》の哲人の口伝《くでん》を、わたしはこのように受け止めた。

一般的には、禁書になっている理由を、たとえば江戸期のふつうの考え方、すなわち儒学に基づく武士道を葉隠では〈上方風の打ち上りたる武士道〉と、文字通りに切って捨てていることなどに求めるだろう。

それでも良い。しかし仮にわたしの解釈もあり得ると考えるのなら、武士道は大きな普遍性、世界に行き渡る可能性を獲得する。

なぜか。

前述した母は、武家の人であると同時にクリスチャンだった。西日本にその例は多い。

そのためにわたしはプロテスタントの日本キリスト改革派教会の幼児洗礼を授けられ、聖書にも馴染《なじ》んで育った。わたしは主イエス・キリストだけではなくアッラーの神も含め諸宗教の神々が大好きだから、こんな人間に一神教の成人洗礼を受ける資格はない。

わたしはだから教徒にはならない。ただ、キリスト教がどれほど世界に浸透しているかを、たとえば通常はイスラーム世界に分類される中東でも、訪れるたびに痛感する。どうして浸透するのか。キリストという実在の人が、ただ他人のために磔《はりつけ》になられたからである。

その言葉を、「葉隠」と同じく口伝として集めた新約聖書には、「一粒の麦」という一節がある。これもインドでの講演で話した。しかし、もう一度、最後に、共に考えていただけるだろうか。

〈一粒の麦、地に墜ちて死なずば、ただ一粒にてあらん。もし死なば、多くの実を結ぶべし。〉

聖書も、解説書なく読み親しんだ。

人間は王も乞食《こじき》も区別なく、一粒の麦のような存在に過ぎない。もしも自分だけは死にたくないとあがけば、永遠に孤独だ。死ぬことによって初めて大地の滋養《じよう》となり、新たな命に繋げることができる。

そのように、わたしは受け止めている。

みなさん。もう一度、こころの味わいを感じていただけるでしょう。「葉隠」とそっくり、と言うより深く響き合っていますね。

山本常朝さんが死した場所、佐賀県の一隅《いちぐう》を訪ねると、何も無く、ただ竹藪が風に吹かれているだけである。わたしは、ここぞ「葉隠」の里にふさわしいとなんだか嬉しかった。ほとんど誰にも知られず、ひっそりと命を閉じた常朝さんは、小さな庵《いおり》のまえで野焼きにされた。きっと灰が薄青く立ちのぼっただろう。

天に帰った常朝さんとも、できれば一緒に考えたい。

日本の出番が迫る今、日本が世界に何をできるか。その答えは、ひとのためにこそ生きるこころから、静かに導かれるだろう。

そして次へ

わたしはその後、まったく思いがけず選挙に打って出て、ひとりの参院議員となった。

わたしは、おのれを売り込まない。今も変わらない、ちいさな信念のひとつだ。したがって選挙だけは出るはずもなかった。ではなぜ、おのれの人生を壊してまで出馬したのか。世界が壊れるなか、わたしも壊すべきを壊したのかもしれない。

この書には民間人としての歩みの苦渋と、わずかな幸福が満ちているとも言える。では議員としてどうなのか。それを国会の場で日々、実践している。深い苦しみだけがあり、わずかな幸福は跡形もなく消え去った。しかし、いささかの悔いもなく、新しい重荷をさらに背負いたいと今、西暦二〇二三年、令和五年、皇紀二六八三年九月、自由民主党総裁選が予定されるちょうど一年前に、日本の青空を見あげながら考えている。

事実を記すということ

この書の核心のひとつは、沖縄をめぐることどもです。

祖国の沖縄と呼んで、魂を込めて書きました。

しかしそれを記したために、ぼくはおそらく生涯の盟友を失っています。

連絡が取れません。理由は分かりません。赤裸々に記したことへのお怒りかもしれない。どうにも連絡が取れないから話を聴くこともできず、想像するほかありませぬ。

このかたをめぐって悪いことは一切、書いていません。隠したのではなく、そもそも悪いことを全くなさっていない。もしも批判されるべきことがあってそれを書くのなら、公人であってもぼくは事前にその方に直接、意見を申しあげてから書きます。不意打ちはしません。

この方はもちろん、公人でした。私人であれば本来、こうした書に記すこと自体がいけません（ちなみに連絡が取れないのは、前沖縄県知事の仲井眞さんではありません。ゆめ、誤解なきよう）。

こうしたことを総合すると、連絡が取れなくなるとは予測していませんでした。

これまで書物を書き、世に問い続けてきて、このようなことは一度も起きていません。

ぼくはプロの物書きですが、それでも書くことより、友情、友だちのほうが大切です。

ですから連絡が取れなくなって、胸がほんとうに痛い。

この書は、論壇誌に連載している原稿が元になっています。

本にすることを提案した編集者は、良心的な、こころ優しいひとです。ぼくは、友を失ったのではないかということを相談しませんでした。ぼくひとりが受け止めることです。

連載の原稿は一本、一本、編集者に送るまえに徹底的に推敲しています。ぼくは生来の怠け者ですが、これだけは怠けません。

しかし一冊の本にするときは、全く違う眼でもう一度、文章の隅々と、それから凡《すべ》ての事実を洗い直していきます。

この国士がぼくの記述の何かで、もしも万一、傷つかれたのなら、生涯かけて償います。

そして同時に、ひょっとしたらと思うのは、個人的なお怒りや不快感ではなく現在の沖縄の独特の事情によって、不肖ぼくと連絡を絶たれているのではないかとも、ふと思うのです。

責任逃れで申しているのではありません。沖縄の事情など関係なく、とにかくご自分が登場していること自体がご不快であったりするかもしれません。それならば一切が、ぼくの責任です。

しかし、もう一度申します。同時に、沖縄が敗戦後の沖縄であることの事情が関係しているのかもと考えてしまいます。

現在の沖縄の最大の苦しみのひとつが、自由にものが言えないことではないでしょうか。ぼくは西暦二〇一六年夏、一番やりたくなかった「選挙」というものにあえて出て、今、参議院にいます。

その参議院で初めて本会議に出席すると、新人議員のぼくのすぐ斜め前に、沖縄選出の女性議員の席がありました。

かつて白梅の少女たち、すなわち沖縄県立第二高等女学校の生徒たちでつくった白梅学徒隊の自決壕に、このひとと一緒に入りました。本文中に一度、記したことですが、もう一度、詳しく述べます。

ぼくの思想がこの糸数慶子《いとかずけいこ》参議院議員（当時）とずいぶん違うことはおそらくご承知だったのでしょう。しかし、ふたりとも互いに信頼する若者のたっての願いで共に壕に入ったのでした。

壕を降りていって、いちばん奥、いつも冷たく濡れている暗い底に、お下げやおかっぱの少女がありありと横顔をみせて重なり合って倒れている気配があります。

ぼくはいつもの通り、その少女に感謝の思いを捧げました。少女たちと向き合って、「みなさんのおかげで、今のぼくたちが居ます」と話しました。

ふと気が付くと、糸数議員がぼくを薄闇の中でまじまじと見つめています。眼が闇に慣れてきていたので、その表情も眼の輝きもよおく見えました。

深い驚きのお顔でした。

「このひとは保守派だから……」と先入観を持ってぼくをそれまで見ていたのかもしれませんね。

ぼくは自分を何々派と、決して見たことがありません。しかし人からは必ず、何々派と分類されて見られます。特に政治家からはそうです。

この沖縄でたいへん信頼されて著名な女性議員、しかも世襲でも何でもなく苦労して国会議員にまでなられた人でも、あらかじめ「保守派は学徒隊の少女の気持ちなんか分からない」と思われていたのかなぁ、もしも仮にそうだったら、今日が誤解を解く機会になればいいなとぼくは、こころから願いましたが、何も申しませんでした。

言葉より、ぼくの行動、ふるまいですべてを見てほしかったからです。

そして、これはぼくにとって大切な記憶となりました。

だから参議院の本会議場に入って、この女性議員がすぐそこにいらっしゃるのが天の差配のようで嬉しくて、すぐ挨拶に行きました。「糸数さん」と懐かしさ、いやぼくなりの友情いっぱいに、うしろから声をお掛けしました。

すると前を向いたまま、ぼくの方は決して見ずに、困ったようにごく軽く会釈だけされました。背中で「話しかけないで」と仰っているように感じました。

ぼくは、ここにも現代の沖縄を見ました。

もちろんぼくの人徳が足りないのです。しかし、自由民主党の参院議員となったぼくと、話すわけにいかないという事情もあるのでしょう。

祖国の沖縄、それはわたしたちはひとつということです。被害者と加害者ではない。しかし、これを言うと、このようなことが起きます。

書物によって誰かを傷つけることはあってはいけません。連載原稿をすべて見直し、この書にするとき、それをもう一度、点検しました。

ぼくは少なくとも、ふたつ、友情を失っています。そうやって傷つくのは、ぼくだけであってほしい。かつての盟友も、糸数議員も、どうかぼくを憎んで、この書は憎まないでほしい。この書物は、ありのままの事実を伝えているからです。

その事実が、わたしたちの沖縄が和解を経て、祖国愛をともにする沖縄になりますよう、そこに向かって、ひとつの小さな助けになりますよう、ここに膝をついて祈りを捧げます。

西暦二〇一六年、平成二八年、皇紀二六七六年十一月二十一日　小雨の夜

青山繁晴　拝

戦と、寛容と

この新書は、サブサハラ（サハラ砂漠以南のアフリカ）の片隅で、まるで黒い雲のように蚊の大群が襲い来る一室にて、仕上げの作業を進めました。

「前書き」にあたる「静かなる怒りの書」で記した通りです。

そして実は、「後書き」にあたるこの原稿を、前書きより先に書き起こしたのです。

ザンビアの国内航空会社「プロフライト」で首都ルサカから南端のリビングストンへ向かう機中でのことでした。

古い小さなプロペラ機です。機が傾くと、信じられないほど狭いひとり座りの席から落ちそうになります。窓は長年のフライトで細かい傷がついて曇り、広大なアフリカ大陸がよく見えません。

こういう小型機で飛ぶのは好きです。懐かしい友だちと空を駆けるような気持ちになります。

かつておのれが出した本を書き改め、新書にするというのも、旧友と再会して友情を復活させるのと似ています。

わたしは本を書くと、カタルシス（浄化作用）が起きて、書いた内容が体内から遠く去っていきます。

書くときに徹底的に客観視することを大切にしています。それは、この新書のようなノンフィクションの時だけではなく「夜想交叉路」といった小説を書くときも、同じです。主人公を突き放して、書きます。

そのために余計に、カタルシスが強いのかも知れません。すべての自著は、こゝろのなかで変わらずに強くその幸福を願いつつ、会うこともない旧友です。

しかし編集者の熱心な言葉、「この本の内容はもっと広く国民に知られるべきです」という働きかけに動かされて、単行本の「ぼくらの哲学」というおとなしい書名の一冊が、驚いたことに「戦」、せんの一字を冠する新書に変わりました。

驚いたことにと言っても、新しい書名はすべて、いつも通りにまずは余人のアドバイスは一切無くおのれ自身で考え、そのうえで異見と意見を聴き、最後はふたたびおのれ自身だけで決しました。

「静かなる怒りの書」で記した通り、英文と一体という、ふだんは考えられない書名です。

なぜか。

静かに怒っているだけでは済まないからです。

祖国の同胞は、国の内でも外でも、救済を求めています。

もはや戦うしかありませぬ。

寛容であることこそ人間の条件であるという信念を揺るがせず、しかしこれまでにない戦端を開くのです。

あなたさまはもはや、単なる読者ではありませぬ。

日本国の永い歴史に初めて現れる戦列、その同志となられることを、あくまでもここは静かに提案します。

どのような考え方、生き方の日本国民でも、戦列に加われます。

なぜなら一致点を探すことこそ、わたしたちのただ一本の旗だからです。

そしてわたし自身は、法の保証する政治献金を拒否することから始まり既存の政治家の常識をすべて拒否する初めての国会議員として、西暦二〇二四年、令和六年九月に予定される自由民主党総裁選挙に立候補を模索します。

西暦二〇二三年、令和五年、皇紀二六八三年九月十九日
帰国した最後の残暑の朝

青山繁晴　拝

本書は『月刊ＷｉＬＬ』（ワック）二〇一五年三月号〜二〇一六年五月号の連載に新たな題名を付し、単行本化し、さらに新書にするに当たって全面的に書き直し、書き足したものです。

戦 TELL-ALL BOOK

著者 青山繁晴

2023年11月5日　初版発行
2024年2月5日　7版発行

青山繁晴（あおやま・しげはる）
作家、参議院議員、新しい議員グループ「日本の尊厳と国益を護る会」（護る会）代表、東大自主ゼミ講師（元非常勤講師）、近畿大経済学部客員教授。神戸市生まれ。慶大文学部中退、早大政経学部卒業。共同通信記者、三菱総研研究員を経て、独立総合研究所（独研）の代表取締役社長・兼・首席研究員。2016（平成28）年、独研を退き参院選に当選。現在2期目。著書に、ロングセラー『ぼくらの祖国』（扶桑社新書）、『不安ノ解体』（飛鳥新社）、『ぼくらの死生観』（ワニブックス【PLUS】新書）のほか小説の『平成紀』（幻冬舎文庫）、『わたしは灰猫』『夜想交叉路』（扶桑社）がある。現在、青山繁晴チャンネル「ぼくらの国会」をYouTubeで配信中。

発行者　佐藤俊彦
発行所　株式会社ワニ・プラス
〒150-8482
東京都渋谷区恵比寿4-4-9　えびす大黒ビル7F
発売元　株式会社ワニブックス
〒150-8482
東京都渋谷区恵比寿4-4-9　えびす大黒ビル
装丁　橋田浩志（アティック）
新　昭彦（Two Fish）
DTP　株式会社ビュロー平林
印刷・製本所　大日本印刷株式会社

ISBN 978-4-8470-6213-1
ワニブックスHP　https://www.wani.co.jp